✔ KU-500-753

Yr Anymwybod Cymreig
Freud, Dirfodaeth a'r Seice Cenedlaethol

Llion Wigley

Gwasg Prifysgol Cymru
2019

Hawlfraint © Llion Wigley, 2019

Cedwir pob hawl. Ni cheir atgynhyrchu unrhyw ran o'r cyhoeddiad hwn
na'i gadw mewn cyfundrefn adferadwy na'i drosglwyddo mewn unrhyw
ddull na thrwy unrhyw gyfrwng electronig, mecanyddol, ffotogopïo,
recordio, nac fel arall, heb ganiatâd ymlaen llaw gan Wasg Prifysgol Cymru,
Cofrestfa'r Brifysgol, Rhodfa'r Brenin Edward VII, Caerdydd CF10 3NS

www.gwasgprifysgolcymru.org

Mae cofnod catalogio'r gyfrol hon ar gael gan y Llyfrgell Brydeinig.

ISBN   978-1-78683-445-4
e-ISBN   978-1-78683-446-1

Datganwyd gan Llion Wigley ei hawl foesol i'w gydnabod yn awdur
ar y gwaith hwn yn unol ag adrannau 77 a 78 Deddf Hawlfraint,
Dyluniadau a Phatentau 1988.

Cydnabyddir cymorth ariannol Cyngor Llyfrau Cymru, a
Chronfa Goffa Thomas Ellis, Prifysgol Cymru, ar
gyfer cyhoeddi'r llyfr hwn.

Cysodwyd yng Nghymru gan Eira Fenn Gaunt, Caerdydd.
Argraffwyd gan CPI Antony Rowe, Melksham.

C29 0000 1226 308

Yr Anymwybod Cymreig

SAFBWYNTIAU

Gwleidyddiaeth • Diwylliant • Cymdeithas

Golygydd Cyffredinol y Gyfres: Daniel G. Williams,
Prifysgol Abertawe

Dyma gyfres sydd yn trafod ac ailystyried rhai o bynciau canolog astudiaethau gwleidyddol a diwylliannol Cymru a thu hwnt. Ei nod yw cyflwyno ymdriniaethau grymus ar amrywiaeth o bynciau o fewn y dyniaethau – o ffasgaeth i sosialaeth, o ethnigrwydd i rywioldeb, o iaith i grefydd. Tynnir ynghyd rhai o feddyliau mwyaf praff a difyr Cymru i gynnig safbwyntiau annisgwyl a dadlennol ar hanes, diwylliant a syniadaeth gyfoes o ogwydd gwleidyddol, theoretig a chymdeithasol.

yn y gyfres

Richard Wyn Jones (2013), *'Y Blaid Ffasgaidd yng Nghymru':
Plaid Cymru a'r Cyhuddiad o Ffasgaeth*
Simon Brooks (2015), *Pam na fu Cymru: Methiant
Cenedlaetholdeb Cymraeg*

CYNNWYS

I mam ac er cof annwyl am dad

Diolchiadau

Hoffwn ddiolch yn arbennig i Daniel Williams am fy ngwahodd i ysgrifennu cyfrol yng nghyfres Safbwyntiau ac am ei gymorth a charedigrwydd wrth imi gwblhau'r gwaith. Diolch i Betsan Caldwell am roi'r caniatâd imi ddyfynnu o bapurau ei thad, J. R. Jones, sydd yn Llyfrgell Genedlaethol Cymru, a diolch i staff y llyfrgell honno a staff Llyfrgell y Celfyddydau ac Astudiaethau Cymdeithasol, Prifysgol Caerdydd am eu cymorth parod a chyfeillgar hwythau. Diolch hefyd i Siôn Rees Williams am ei wybodaeth ynglŷn â'i dad, John Ellis Williams, ac i Mari Gwilym am wybodaeth am ei thad, Gwilym O. Roberts. Mae'r canlynol wedi bod yn gefnogol iawn o fy ngwaith ac wedi rhoi llawer o gymorth imi: Jane Aaron, T. Robin Chapman, Angharad Price, Brynley Roberts, M. Wynn Thomas a Steven Thompson. Diolch i fy nghydweithwyr yng Ngwasg Prifysgol Cymru am eu holl gwmnïaeth, cymorth a chefnogaeth. Hoffwn ddiolch i Geraint Evans, Adam Hammond, Gwion Huws, Geraint MacDonald a'u teuluoedd am eu cyfeillgarwch cynnes. Yn bennaf oll, hoffwn ddiolch i fy nheulu – fy mam Angharad, Esyllt a Gwenllian – am eu cefnogaeth a'u cariad dibendraw. Mae'r llyfr hwn wedi'i ysgrifennu er cof am 'Y Capten' Iolo Wigley: crefftwr, Cymro a gwladgarwr i'r carn a fu'n dad a chyfaill cariadus imi.

Cyflwyniad

Cyfrol am ddylanwad seicdreiddiad a dirfodaeth ar y meddwl Cymreig yw hon. Ond nid hynny yn unig, gan nad dadansoddiad unffordd a gynigir. Bu i'r profiad Cymreig, a'r anymwybod Cymreig yn benodol, ddylanwadu yn ei dro ar y modd neilltuol y datblygodd y canghennau syniadaethol hyn yng Nghymru. Y ddadl greiddiol ceisiaf ei chynnal trwy'r gyfrol yw i syniadau seicdreiddiol a dirfodol ill dau apelio at y Cymry Cymraeg yn arbennig gan eu bod wedi cynnig model i fframio ac esbonio'u profiadau yn yr ugeinfed ganrif, wrth i'r ymwybyddiaeth dyfu yn eu plith bod eu hiaith a'u diwylliant o dan fygythiad. Yn achos seicdreiddiad, apeliai'r syniad bod hunaniaeth ddyfnach Gymreig yn llechu o dan wyneb yr hunaniaeth Brydeinig, swyddogol, at garedigion yr iaith a chenedlaetholwyr. Roedd cyfnod twf y mudiad cenedlaethol rhwng y rhyfeloedd hefyd yn gyfnod twf dylanwad Freud, wedi'r cyfan. Adlewyrchir hyn yn y ffaith awgrymog fod cofiannydd ac un o brif ladmeryddion gwaith Freud, y Cymro Ernest Jones, yn aelod cynnar o Blaid Cymru.[1] Dadansoddiad o'r anymwybod cenedlaethol yw un o'r elfennau sy'n nodweddu'r drafodaeth gynnar o waith Freud a Jung yn y Gymraeg, ynghyd ag ymgais amlweddog i weld y cysylltiadau a glymai eu syniadau â rhai o draddodiadau a hynodion y diwylliant Anghydffurfiol Cymraeg, fel y seiat. Yn sgil hynny, dehonglwyd un o'r cysyniadau pwysicaf o fewn theori Freudaidd, sef y modd y tueda elfennau a phrofiadau ataliedig (*repressed*) ddychwelyd i'n hymwybod, mewn ffordd benodol Gymraeg yng ngwaith J. R. Jones yn arbennig.

Bu cysyniad seicdreiddiol arall pwysig, a ddatblygwyd yng ngwaith Alfred Adler, sydd bellach wedi dod yn rhan o'n hymadroddion pob dydd, sef yr *inferiority complex* neu'r cymhleth israddoldeb, hefyd o gymorth i Jones a chenedlaetholwyr eraill geisio dadansoddi ac egluro seicoleg y Cymry. Rhwng 1920 ac 1970 yn fwy cyffredinol, dadleuaf yn y penodau sy'n dilyn, fe nid yn unig adeiladwyd dadansoddiad trwyadl Gymraeg o'r anymwybod yng ngweithiau awduron fel J. R. Jones, E. Tegla Davies a D. Miall Edwards, ymhlith eraill, ond llwyddwyd hefyd i ddangos rhai o nodweddion arbennig yr anymwybod Cymreig, rhan o ymgais bwrpasol, yn dilyn cenadwri Freud, i ddod â hwy i'r wyneb. Dehonglodd yr arloeswyr hyn gysyniadau rhai o ddilynwyr pwysicaf Freud, fel anymwybod torfol (*collective unconscious*) Carl Jung ag anymwybod cymdeithasol (*social unconscious*) Erich Fromm, mewn ffyrdd gwreiddiol a phwrpasol yn y broses, fel y gwelwn.[2]

Yn achos dirfodaeth, cymhwyswyd y syniad o argyfwng dirfodol sy'n wynebu unigolion, ac sy'n rhaid iddynt gymryd cyfrifoldeb personol dros eu datrys, i'r genedl Gymreig gyfan gan fod ymdeimlad cynyddol ymhlith meddylwyr y cyfnod fod ei bodolaeth o dan fygythiad, yn dilyn dirywiad sydyn yr iaith Gymraeg yn hanner cyntaf yr ugeinfed ganrif. Argyfwng dirfodol oedd argyfwng Cymru wedi'r Ail Ryfel Byd yng ngwaith J. R. Jones ac eraill, ac ymagwedd ddirfodol a fabwysiadodd y genhedlaeth ifanc yn arbennig o fewn y mudiad cenedlaethol i geisio'i oresgyn. Gellir dehongli twf cenedlaetholdeb Cymreig o sawl gwahanol fath yn yr 1960au yn arbennig fel mynegiant o'r cysyniad canolog dirfodol yng ngwaith Sartre yn arbennig o *engagement*, neu'r angen i wneud ymrwymiad cadarn i achos gwleidyddol penodol. Ymhellach, gwelir bod y diddordeb amlwg mewn seicdreiddiad a dirfodaeth yng Nghymru wedi'r Ail Ryfel Byd yn adlewyrchiad o newidiadau hollbwysig mewn agweddau tuag at yr hunan a thuag at grefydd ac awdurdod a brofwyd yn y cyfnod hwn; newidiadau a gafodd effaith chwyldroadol yng Nghymru fel yng ngweddill y byd gorllewinol.

'Barnaf mai prif angen Cristionogion heddiw yw achubiaeth eu meddwl. Byddem wedyn yn effro i arweiniad Ysbryd Duw i'n hoes ni; ac nid yn dibynnu ar draddodiadau sydd wedi colli llawer o'u hystyr bellach.'³ Crynhoir yn nyfarniad yr Athro David Phillips – prifathro Coleg y Bala, golygydd *Y Traethodydd*, a chefnogwr brwd o syniadau'r 'feddyleg newydd' – yn 1946 y meddylfryd a'r safbwynt dros hanner canrif ffurfiannol yn hanes Cymru mae'r gyfrol hon yn ymgais i'w hamlinellu a'i hegluro. Rhwng dechrau'r 1920au a diwedd degawd chwyldroadol yr 1960au cyhoeddwyd toreth o erthyglau, nofelau ac ysgrifau yn y Gymraeg a geisiai ymateb i'r argyfyngau seicolegol, diwylliannol a chrefyddol a ysgogwyd gan ddau ryfel byd. Ymgais yw'r penodau sy'n dilyn i ddangos sut yr adlewyrcha'r gweithiau hynny nid yn unig rai o'r newidiadau pwysicaf a effeithiodd y meddwl Cymreig yn ystod y cyfnod hwn, ond hefyd i awgrymu sut y cyfrannodd gweithiau llenorion, ysgolheigion a gweinidogion fel David Phillips at beth o'r trawsffurfiad sylfaenol hwn mewn meddylfryd ac agweddau. Yn achos seicdreiddiad a dirfodaeth gwelwyd ymateb sydyn, soffistigedig a dadlennol gan awduron Cymraeg i syniadau seic-dreiddiol Sigmund Freud, Carl Jung ac Alfred Adler ar un llaw, a rhai dirfodol Albert Camus, Simone de Beauvoir, Jean-Paul Sartre, Paul Tillich ac eraill ar y llaw arall. Wrth ddadansoddi'r ymateb hwn, ceisiaf gyfleu nid yn unig peth o amrywiaeth ryfeddol y wasg enwadol a seciwlar Gymraeg yn y cyfnod dan sylw ond hefyd y cyffro a menter deallusol sydd mor nodweddiadol o erthyglau ac ysgrifau Tecwyn Lloyd, J. R. Jones ac amryw o ffigyrau pwysig eraill.

Wrth sôn am rai o'r tueddiadau deallusol cyffrous a ddisgrifiwyd uchod, byddaf yn trafod rhai o'r mentrau cyhoeddi a fu'n gyfrwng i gyfathrebu'r syniadau newydd hyn i gynulleidfa eang o ddarllen-wyr Cymraeg. Crëwyd gofod i drafod syniadau'r seicdreiddwyr a'r dirfodwyr yn y cyfnod dan sylw drwy gyfresi newydd fel Cyfres Pobun, Gwasg y Brython (1944 i 1948); cyfrolau'r Clwb Llyfrau Cymreig (1938 i 1951) a chyfres Pamffledi Heddychwyr Cymru, Undeb Heddychwyr Cymru (1941 i 1945). Cyflwynwyd ystod eclectig o syniadau athronyddol a deallusol i gynulleidfa eang mewn ffurf hygyrch a chryno rhwng yr 1930au a'r 1960au trwy'r cyfresi hyn a'r amrywiaeth o gylchgronau diwinyddol ac anenwadol hen a newydd fel *Lleufer*, *Y Dysgedydd* a'r *Efrydydd*, a oedd yn dal i gael eu cyhoeddi'n rheolaidd. Roedd hyn yn rhan o ymdrech ysgolheigaidd bwrpasol i ymestyn syniadau newydd tu hwnt i gylchoedd academaidd a'u cyflwyno i ddarllenwyr cyffredinol. Adlewyrchir yr un nod yng nghryfder adrannau efrydiau allanol colegau Prifysgol Cymru a gwaith Cymdeithas Addysg y Gweithwyr yn y cyfnod hwn, a'r cyrsiau heriol roeddynt yn cynnig, gydag athrawon amryddawn a disglair fel R. I. Aaron, J. R. Jones, David Thomas a Gwilym O. Roberts yn arwain y dosbarthiadau nos ac yn cyfrannu i gylchgrawn eclectig y gymdeithas, *Lleufer*.

Cymaint yw'r cyfoeth o weithiau perthnasol y gellid eu trafod yn y cyd-destun uchod, cipolwg ar rai o'r prif ddatblygiadau a geir yn unig mewn llyfr cymharol fyr o'r math hwn, a hynny o safbwynt arbennig sy'n neilltuo gweithiau penodol ar draul eraill y gellid eu barnu i fod o ddiddordeb hanesyddol cyfwerth. Ond wrth ddethol a chrynhoi'r deunydd i'w drafod, amcanwyd yn fwriadus i ganolbwyntio ar weithiau sy'n parhau i gynnig gwersi defnyddiol a pherthnasol i'n cynorthwyo i ddelio â'r argyfyngau seicolegol a diwylliannol a nodwedda ein cymdeithas gyfoes. Anelir hefyd i roi sylw i waith awduron sydd wedi cael eu hanghofio neu'u hesgeuluso i raddau helaeth – fel Elena Puw Morgan, T. Trefor Jones a Harri Williams – ar draul gweithiau enwau mwy cyfarwydd o'r cyfnod rhwng 1920 ac 1970 sydd eisoes wedi denu sylw hanesyddol a beirniadol weddol eang, fel rhai T. H. Parry-Williams, Caradog Prichard a Saunders Lewis.[4] Gwneir hyn oll yn y gobaith o ddadlennu'r diagnosis o'r meddwl Cymreig a gynigwyd yn y gweithiau hynny ac, ymhellach, i gwestiynu'r graddau y mae'r diagnosis hwnnw yn berthnasol i'r meddwl cyfoes yng Nghymru. Hynny yw, fe ellir dadlau bod rhai o'r nodweddion a phroblemau sylfaenol a'u darlunnir yng ngwaith awduron fel J. R. Jones – a ddefnyddiodd y term 'diagnosis' ei hun i ddisgrifio'i ddarlun o Brydeindod – yn dal i'n nodweddu a'n llesteirio fel cenedl heddiw.[5]

Ymatebion Cymraeg i ddatblygiadau cyfoes ym maes seicoleg – a seicdreiddiad yn fwyaf penodol – yn y cyfnod wedi 1945 yn arbennig yw pwnc y bennod gyntaf. Ceir braslun yn gyntaf oll o gefndir yr ymchwydd deallusol o fewn y diwylliant Cymraeg yr oedd y diddordeb mewn seicdreiddiad yn rhan bwysig ohono, gyda datblyg-iadau pwysig fel cychwyn Adran Athronyddol Urdd Graddedigion

Prifysgol Cymru yn 1931 a'i chylchgrawn arloesol *Efrydiau Athronyddol* yn 1937 yn creu gofod hollbwysig i drafod syniadau newydd yn y Gymraeg. Amlinellir sut y cyflwynwyd prif gysyniadau a damcaniaethau Freud a'r 'feddyleg newydd' i ddarllenwyr Cymraeg yn gelfydd yng ngweithiau arloeswyr fel D. Miall Edwards, James Evans a D. G. Williams rhwng y rhyfeloedd byd.[6] Eir ymlaen i ddangos sut y datblygwyd a chyfoethogwyd yr ymdriniaeth â Freud ac eraill yn y Gymraeg yn yr 1940au hwyr a'r 1960au gan awduron fel W. T. Gruffudd, Gwilym O. Roberts a Harri Williams. Dadansoddir hefyd yr ymateb Cymraeg i syniadau rhai o ddisgyblion enwocaf Freud a arweiniodd ei syniadau mewn i gyfeiriadau hollol wahanol, megis Carl Jung ac Alfred Adler. Fe welir yn y broses i'r enwadau crefyddol yng Nghymru groesawu rhai o'r syniadau hyn, yn hytrach na'u condemnio, er iddynt feirniadu agweddau o'r ddysgeidiaeth seicdreiddiol yn yr amrywiaeth helaeth o ysgrifau arni a gyhoeddwyd yn eu cyfnodolion.

Mae'r ail bennod yn ymdrin â'r ymateb llai uniongyrchol i'r seicoleg newydd a geir yn nofelau, straeon byrion a barddoniaeth yr un cyfnod. Edrychir yn fanwl ar weithiau llenyddol o'r 1940au a'r 1950au gan awduron fel Elena Puw Morgan, Kate Roberts, Gwilym R. Jones a John Gwilym Jones a oedd oll yn drwm o dan ddylanwad syniadau seicdreiddiol mewn gwahanol ffyrdd, a hynny weithiau ar lefel anymwybodol, i ddefnyddio un o dermau mwyaf cyfarwydd a phwysig y ddysgeidiaeth. Gwneir hynny gyda'r amcan o ddangos perthnasedd a defnyddioldeb gweithiau'r llenorion uchod i'r ymgais i ddeall yr anhwylderau seicolegol sy'n gynyddol gyffredin yn ein cymdeithas gyfoes. Adeiladir ar ddadl y ddwy bennod gyntaf bod y diwylliant Cymraeg wedi ymateb yn gyflym i ddatblygiadau deallusol hollbwysig fel dylanwad cynyddol seicoleg a'r seicdreiddwyr o'r 1920au ymlaen yn y drydedd bennod trwy ddangos pa mor eang oedd dylanwad athroniaeth dirfodaeth ar awduron a deallusion Cymraeg wedi'r Ail Ryfel Byd.

Nododd D. Myrddin Lloyd yn rhifyn 1947 o *Efrydiau Athronyddol*, cylchgrawn a fyddai'n chwarae rhan ganolog mewn cyflwyno syniadau newydd i'r diwylliant Cymraeg, mai Cymro – sef y gweinidog Undodaidd ac athronydd W. Tudor Jones – oedd y cyntaf i ymdrin â syniadau dirfodol yr Almaenwyr Martin Heidegger a Karl Jaspers ym Mhrydain yn ei lyfr *Contemporary Thought of Germany* (1931).[7] Trafodwyd gwaith diwinyddion dirfodol, fel Paul Tillich a Martin Buber, yn rheolaidd ac yn aml yn ffafriol yn y wasg enwadol yn yr 1950au a'r 1960au. Cafodd ddirfodaeth ddylanwad digamsyniol ar lenorion y cyfnod hefyd, fel John Gwilym Jones yn fwyaf arbennig, a cheisiaf grynhoi ac egluro ei apêl mewn cyd-destun Cymraeg. Pwysleisir yn y bennod hon, fel yn y ddwy bennod gyntaf, natur heriol a modern y diwylliant Cymraeg yn y cyfnod hwn a'i ymdriniaeth flaengar â'r meddwl a chwestiynau athronyddol yr oes.

Gwaith a syniadau'r athronydd J. R. Jones yw pwnc y bedwaredd bennod gan ei fod wedi cyd-blethu'r dylanwadau seicdreiddiol a dirfodol a drafodwyd eisoes mewn modd unigryw a gwerthfawr yn ei waith. Gellir dadlau i'r cyfnod o fywiogrwydd deallusol Cymraeg a'i hamlinellir yn y gyfrol hon ddod i ben, neu'n sicr arafu, wedi ei farwolaeth annhymig yn 1970. Manylir ar ymdriniaeth J. R. Jones â seicdreiddiad yn ei ysgrifau cynnar yn arbennig, a'i waith fel athro dosbarthiadau nos mewn seicoleg yn yr 1940au gan fod hyn yn agwedd bwysig o'i feddwl sydd wedi derbyn ychydig iawn o sylw beirniadol. Roedd Jones yn Farcsydd yn yr 1940au, a dadleuaf iddo wneud ymgais nid annhebyg i'r seicotherapydd neo-Freudaidd Erich Fromm a'i gymheiriaid yn Ysgol Frankfurt, fel Herbert Marcuse, i gyfuno syniadau Sigmund Freud a Karl Marx. Ystyrir hefyd ddylanwad annisgwyl, efallai, syniadau seicdreiddiol ar ei weithiau gwleidyddol pwysicaf, fel *Prydeindod*. Trwy ganolbwyntio ar ei ddadleuon ynglŷn ag awdurdodaeth a thotalitariaeth, gobeithiaf ddangos perthnasedd a phwysigrwydd y syniadau hyn yng ngolau'r datblygiadau gwleidyddol a brofwyd yn Ewrop ac Unol Daleithiau'r America yn arbennig dros y ddegawd ddiweddaraf.

Er y corff o waith Cymraeg sy'n ymdrin â seicdreiddiad a dirfodaeth, ni fu ymgais eto i gloriannu'r modd y mabwysiadwyd ac y dehonglwyd y mudiadau syniadaethol hyn yng Nghymru. Bu iddynt wreiddio mewn tir ffrwythlon am fod y Cymry eisoes yn ymwybodol o natur fregus eu hunaniaeth a'r ffaith bod y Gymraeg yn cael ei ddiorseddu fel iaith cymdeithas ac yn cael ei wthio i beuoedd mewnol y cartref, ac ysbrydol yr eglwysi. Dan y wyneb byddai'r ymdeimlad hwn yn llechu yn anymwybod y gymdeithas lywodraethol wrth i'r ugeinfed ganrif fynd yn ei blaen. Bu seic-dreiddiad a dirfodaeth o fudd i'r Cymry wrth iddynt geisio deall eu lle yn y byd ac wrth iddynt geisio deall neilltuolrwydd yr anymwybod Cymreig.

1

Meddygon yr Enaid: Seicdreiddiad a Seicotherapi yn y Gymraeg

Cefndir y cynnydd

Yn ei ysgrif feistrolgar, 'Meddwl y Dau-ddegau', disgrifia Alun Llywelyn-Williams cyfnod y Rhyfel Byd Cyntaf rhwng 1914 ac 1918 fel trobwynt yn hanes y Gymru Gymraeg.[1] Fel prawf o hynny dywed fod 'holl awyrgylch llenyddol y dauddegau cynnar yn gwbl wahanol i'r cyfnod cyn 1914, â grymusterau newydd i'w canfod bron ar unwaith wedi'r rhyfel yn dechrau newid ffurf a chynnwys y diwylliant Cymreig a Chymraeg, a chynnig cyfeiriad newydd i'w egnïon creadigol'.[2] Dywed ymhellach mai rhan bwysig o'r newid hwn oedd ymdeimlad cyffredinol ymysg ysgolheigion Cymraeg y cyfnod bod 'yn rhaid i'r dauddegau geisio dwyn Cymru a'i llenyddiaeth i gysylltiad uniongyrchol ag etifeddiaeth ddiwylliannol gwledydd eraill ac a'u meddwl cyfoes'.[3] Carreg filltir hollbwysig yn yr ymdrech hon oedd sefydlu cylchgrawn *Y Llenor* yn 1922 o dan olygyddiaeth W. J. Gruffydd, a apwyntiwyd yn athro yn y Gymraeg yng Nghaerdydd yn 1919: un o nifer o benodiadau dylanwadol tebyg, wrth i golegau Prifysgol Cymru ehangu a datblygu yn arwyddocaol yn y blynyddoedd a ddilynodd y Rhyfel Byd Cyntaf.[4]

Un o'r pwysicaf o'r ysgolheigion hynny oedd ei gymar yng Nghaerdydd, Griffith John Williams, a benodwyd fel darlithydd yn 1921. Mynegodd Williams yr awydd cyfoes i ledaenu gorwelion y diwylliant Cymraeg yn un o rifynnau cyntaf *Y Llenor* yn 1922: 'Oni ddygir Cymru i gysylltiad â diwylliant y Cyfandir, oni ŵyr yr hyn y mae'r byd mawr tu hwnt i ororau Cymru a Lloegr yn ei

feddwl, ofer yw inni obeithio am adfywiad llenyddol.'[5] Dadleuodd
mai ail-sefydlu traddodiad o gysylltiadau deallusol agos rhwng
Cymru â chyfandir Ewrop a wneir yn y broses, nid cychwyn mudiad
llenyddol o'r newydd:

> Rhaid inni agor ein dorau led y pen fel y gallo'r dylanwadau a
> gyniweiria trwy Ffrainc a gwledydd eraill lifo eto drwy ddyffryn-
> noedd Cymru. Bu'r dorau hyn yn llydan agored unwaith. Pan
> ysgrifennwyd y Mabinogion, nid talaith yn Lloegr oedd Cymru, ac
> nid oedd na rhagfur na gwrthglawdd rhyngddi â'r Cyfandir. Yr
> oedd Cymru yn rhan o Ewrob, a theimlai pob Cymro diwylliedig
> yr un dylanwadau ag a deimlai gwŷr Eidal a Ffrainc.[6]

Dengys y dyfyniad uchod sut y rhannai amryw o'r ffigyrau deall-
usol amlycaf, fel Griffith John Williams, a arweiniodd yr adfywiad
mewn ysgolheictod Cymraeg ar ôl 1918 yr un dyheadau cened-
laetholgar a arweiniodd at sefydlu Plaid Genedlaethol Cymru yn
1925. Hynny yw, roedd ehangu a lledaenu ysgolheictod Cymraeg
yn rhan o'r un nod i gryfhau a diogelu arwahanrwydd Cymru fel
cenedl, tra'n ei gysylltu'n agosach o'r newydd â dylanwadau
Ewropeaidd ar yr un pryd.

Crëwyd llwyfan i drafod rhai o'r dylanwadau hynny gydag
ymddangosiad *Y Llenor* yn 1922, a chyhoeddwyd ysgrifau arloesol
yn y cyfnodolyn yn ei flynyddoedd cynnar gan rai o ffigyrau mwyaf
canolog y mudiad cenedlaethol, fel Saunders Lewis ac Ambrose
Bebb. Cylchgrawn llenyddol ydoedd yn bennaf, ond trafodwyd
syniadau athronyddol a diwinyddol o'i fewn hefyd. Ceir ym-
driniaeth ddiddorol tu hwnt Nell Vaughan Williams â chysyniad
yr athronydd Ffrengig Henri Bergson o'r 'Digrif' yn rhifyn haf
1929, er enghraifft.[7] Brithwyd tudalennau cyfnodolyn hynaf Cymru,
Y Traethodydd (a sefydlwyd yn 1845), a rhai'r ystod eang o fisolion
ac wythnosolion crefyddol a gyhoeddwyd trwy gydol hanner
gyntaf yr ugeinfed ganrif hefyd, gydag erthyglau difyr ar amryfal
bynciau athronyddol a deallusol, gan gynnwys seicoleg yn gyn-
yddol, fel y gwelwn yn y man.

Ond y trobwynt pwysicaf o ran creu'r cyfle i drin a thrafod
syniadau yn y Gymraeg oedd sefydlu Adran Athronyddol Urdd

Graddedigion Prifysgol Cymru yn 1931. Grŵp bach o ddarlithwyr yng ngholegau'r brifysgol, gan gynnwys Herbert Morgan, D. James Jones ac R. I. Aaron, a ddaeth at ei gilydd i ddechrau'r Adran.

Rhestrodd Aaron, a benodwyd yn bennaeth Adran Athroniaeth Coleg Prifysgol Cymru yn Aberystwyth yn 1932, brif amcanion gwreiddiol yr Urdd yn ei arolwg o'r cyfnod cynnar yn 1958:

> Yn gyntaf, cynnal cynhadledd flynyddol; yn ail, cyfieithu clasuron athronyddol i'r Gymraeg; yn drydedd, cyhoeddi cyfrolau achlysurol o erthyglau gwreiddiol o waith aelodau'r Adran; yn bedwaredd, astudio meddwl Cymru yn y gorffennol a'r presennol; yn bumed, ymorol am dermau Cymraeg.[8]

Llwyddwyd i gyflawni'r amcanion hynny, ar y cyfan, gyda'r gynhadledd flynyddol gyntaf yn cael ei chynnal yn Harlech yn 1931 a'r cyfnodolyn blynyddol *Efrydiau Athronyddol* yn ymddangos o 1938 ymlaen.

Nododd Aaron, y golygydd, ar achlysur pen blwydd y cyfnodolyn yn 21 oed, bod 68 o wahanol unigolion wedi cyfrannu erthyglau ac adolygiadau yn y cyfnod hyd at hynny, gyda chyfartaledd o dri chyfrannwr newydd bob blwyddyn.[9] Golygai hynny fod amrediad weddol eang o safbwyntiau'r Cymry Cymraeg ar gael rhwng cloriau'r cylchgrawn, ac fel y rhagwelodd Aaron: 'Nid yw'n ormodedd i ddweud y try unrhyw un yn y dyfodol a garai ddeall teithi meddwl Cymru ynghanol yr ugeinfed ganrif at *Efrydiau Athronyddol*, o bosibl yn gyntaf ato o flaen dim arall a gyhoeddwyd yn y blynyddoedd hyn.'[10] At hynny, mae'r cylchgrawn yn y cyfnod hwn yn cynnwys nifer o erthyglau pwysig ar seicoleg yn ogystal ag athroniaeth. Cyfeirir yn aml, o ganlyniad, at yr erthyglau hyn yn y drafodaeth sy'n dilyn o'r ymateb i'r 'feddyleg newydd' a seicdreiddiad yn y Gymraeg.

Y feddyleg newydd, Freud a'r Cymry

Tyfodd dylanwad cymdeithasol a diwylliannol y 'feddyleg newydd' yn gyflym wedi'r Rhyfel Byd Cyntaf, wrth i syniadau Sigmund

Freud gael eu lledaenu gan ei ddisgyblion pennaf, fel y Cymro o Dre-gŵyr, Ernest Jones, a'u derbyn yn gynyddol. Poblogeiddiwyd y defnydd o dechnegau Freud ym Mhrydain yn ystod y rhyfel ei hun trwy waith arloeswyr fel W. H. Rivers gyda milwyr oedd yn dioddef effeithiau siel-syfrdandod (*shellshock*). Daeth prif dermau'r wyddor fel cymhleth (*complex*), ataliad (*repression*) ac anymwybod neu ddiymwybod (*unconscious*) yn gyfarwydd tu allan i'r ysbytai lle derbyniodd y milwyr hyn eu triniaeth erbyn yr 1920au, fel y nodir mewn erthygl gynnar ar y pwnc yn *Y Traethodydd* yn 1922. 'Does nemor bapur na chyfnodolyn nad yw wedi cyhoeddi ysgrif neu rywbeth arall arno' meddai ei hawdur James Evans, 'yn ystod y flwyddyn neu ddwy ddiweddaf'.[11] Cyhoeddwyd yr ymdriniaeth estynedig Gymraeg gyntaf â syniadau Freud yng nghyfrol arloesol D. G. Williams, *Llawlyfr ar Feddyleg*, ddwy flynedd yn ddiweddarach.[12]

Gwahaniaethwyd y feddyleg newydd o'r hyn a'i rhagflaenodd yn gyntaf gan ei bwyslais ar diriogaeth gudd yr anymwybod a'i ddylanwad llywodraethol ar yr ymwybyddiaeth neu'r meddwl effro, ac yn ail gan ei bwyslais ar ran hanfodol y greddfau mewn llywio a llunio ymddygiad dynol. Un o'r pwysicaf a mwyaf dadleuol o'r rhain oedd yr hyn a ddisgrifia Williams yn ei gyfrol fel y 'Reddf Ystlen (*Sex*)', a chyfyrddir ar yr ystyr eang â rydd Freud a Jung ill dau i'r term *libido* yn ei drafodaeth ohoni: 'Eu gair neilltuol i fynegi'r ynni sydd mor bwysig yn y cysylltiad hwn yw "libido" – gair Lladin, o'i gyfieithu'n llythrennol, a olyga chwant, a chwant yn ei ystyr fwyaf cnawdol yn aml (Rhydd Jung iddo gymhwysiad ehangach, gan gynnwys y meddwl yma hefyd).'[13] Enillodd y llawlyfr wobr yn Eisteddfod Genedlaethol Rhydaman, 1922 ac fe'i hadolygwyd yn ffafriol yn y wasg enwadol.

Un o'r adolygwyr oedd D. Miall Edwards, ffigwr a fu'n ganolog yn yr ymgais i drafod syniadau meddylwyr mwyaf Ewrop a'r Unol Daleithiau, fel William James, yn y Gymraeg yn negawdau cynnar yr ugeinfed ganrif. Yr oedd eisoes wedi cynnwys tair pennod ar athroniaeth Henri Bergson yn ei gyfrol *Crefydd a Bywyd*, a gyhoeddwyd yn 1915.[14] Ceir trafodaeth o rai o brif syniadau'r hen feddyleg trwy gydol y gyfrol hon hefyd, ac wedi'r rhyfel rhydd Edwards sylw cynyddol yn ei waith i'r feddyleg newydd a'i hoblygiadau. Gresyna yn ei adolygiad o'r *Llawlyfr ar Feddyleg*, er enghraifft, nad oedd ei hawdur wedi trafod syniadau Freud a Jung yn fanylach.[15] Fel rhan o'i waith fel golygydd y cyfnodolyn misol *Yr Efrydydd* yn yr 1920au, neilltuodd Edwards ofod yn rheolaidd i drafod y feddyleg newydd, ymhlith ystod eang o bynciau eraill, trwy adolygiadau ac erthyglau tebyg. Yn ei adolygiad o gyfrol F. R. Barry, *Christianity and Psychology* yn 1923, er enghraifft, haerodd nad oes 'un pwnc a apelia'n fwy at y cyhoedd darllengar ar hyn o bryd na Meddyleg' ac mai peth da oedd hynny 'oblegid dyletswydd gyntaf dyn yw ei adnabod ei hun'.[16] Credai y gallasai diwinyddion ac athronwyr ddysgu tipyn o waith y meddylegwyr newydd, ond rhybuddiodd gan hynny rhag derbyn yn ddi-gwestiwn eu pwyslais 'ar grefydd fel ystad fewnol o deimlad yn unig, ac anwybyddu crefydd fel yn cynnwys gwirionedd gwrthrychol'.[17]

Mae adolygiadau Miall Edwards o weithiau meddylegol ei ddydd yn nodweddiadol o'r ymateb i syniadau Freud ac eraill a fyddai'n datblygu'n fwy cyffredinol yn y wasg Gymraeg yn y cyfnod rhwng y rhyfeloedd mewn dwy brif ffordd. Yn gyntaf, croesawir y mewnwelediadau roedd y feddyleg newydd wedi eu cynnig i'n dealltwriaeth o'r meddwl a'r bersonoliaeth ddynol yn weddol frwdfrydig ac agored ynddynt, a gwneir ymgais bwrpasol i gyfleu a chyfieithu rhai o brif dermau a chysyniadau'r wyddor yn y Gymraeg. Yn ail, llwyddir i gadw'r brwdfrydedd hwn o dan reolaeth ac i gynnig golwg feirniadol, graff ar rai o'r prif gysyniadau meddylegol newydd – fel y pwyslais arbennig ar rôl y greddfau mewn llunio ymddygiad – ac i gwestiynu'r graddau y dylid derbyn y ddysgeidiaeth yn gyfan gwbl ac yn ddi-halen. Er y nodyn o amheuaeth a glywir yn achlysurol yn y gweithiau hyn, eu hamcan cyffredinol oedd gwneud defnydd ymarferol o ddarganfyddiadau seicoleg ar ei newydd wedd i gynorthwyo'r darllenwyr. Ffurfiwyd darlun newydd o'r hunan yn y broses, fel y gwelwn, a adlewyrchai dueddiad newydd tuag at empathi a chydymdeimlad ar draul y pwyslais blaenorol ar bechod a drygioni hanfodol y ddynoliaeth.

Un o'r prif resymau a eglura aeddfedrwydd a soffistigeiddrwydd y drafodaeth gynnar o syniadau Freud yn y Gymraeg yw'r nifer uchel o gyfnodolion a phapurau enwadol o wahanol fathau a gyhoeddwyd yn rheolaidd yn y cyfnod hwn. Cynigiai'r rhain ofod i drin syniadau ac athroniaethau newydd mewn dyfnder. Rhwng 1922 ac 1939 o ganlyniad, cyhoeddwyd dros ugain o erthyglau ac ysgrifau manwl, estynedig ar y feddyleg newydd mewn cyfnodolion mor amrywiol â'r cylchgrawn i fyfyrwyr, *Yr Efrydydd*, a misolyn y Bedyddwyr i'r ysgolion Sul. Canlyniad anuniongyrchol i ffyniant y wasg enwadol ac anenwadol Gymraeg, felly, oedd y parodrwydd i drin syniadau newydd sy'n nodweddu'r cyfnod rhwng y rhyfeloedd, i ryw raddau. Erbyn cyhoeddi cyfres o ysgrifau 'Irel' yn *Yr Heuwr*, cyhoeddiad misol undeb ysgolion Sul Bedyddwyr Cymru, ar y feddyleg newydd yn 1930, roedd erthyglau tebyg eisoes wedi ymddangos yn y mwyafrif o gyhoeddiadau'r enwadau Anghydffurfiol yng Nghymru, gan gynnwys *Y Dysgedydd*, *Y Traethodydd*, *Yr Eurgrawn Wesleaidd* a *Seren Gomer*.

Dilynodd 'Irel' y patrwm a sefydlodd ei ragflaenwyr o ddisgrifio tiriogaeth ddirgel yr anymwybod mewn termau lliwgar a dyfeisgar. 'Dywedir ein bod ni yn debyg iawn i fynydd o iâ (*iceberg*)' meddai wrth ddisgrifio'r 'diymwybod', a phwysleisia ei reolaeth dros ein gweithredoedd:

> bydd y mynyddoedd hyn weithiau yn teithio yn hollol groes i'r hyn y disgwylid iddynt – theithiant yn wrthgyferbyniol i gwrs y gwynt. Anodd, efallai, ydyw dygymod â ffaith fel hon, ond dyna'r gwir yn fynych: llwybr croes i eiddo'r awel yw llwybr y mynydd rhew. Y rheswm dros hynny yw hyn – *y mae cerrynt cryfion yn rhedeg yn y dyfnder mawr, a'r rheiny fydd yn penderfynu cwrs y mynyddoedd iâ.* Nid yr awel a'r don sydd yn penderfynu rhawd y rhain, ond galluoedd mawr y dyfnder.[18]

Yn yr un blwyddyn, tanlinellodd Edwin Jones yr angen i fathu termau priodol yn y Gymraeg ar gyfer cysyniadau a mewnwelediadau'r feddyleg newydd. 'Rhaid inni yma', meddai yn ei erthygl yn *Seren Gomer*, 'ofidio prinder yr iaith Gymraeg o eiriau i'n gwasanaethu yn ein myfyrdod a'n dealltwriaeth o'r wyddor hanfodol hon'.[19] Awgrymir y graddau derbyniodd y weinidogaeth yng Nghymru bwysigrwydd ac arwyddocâd seicoleg yn ei gasgliad efallai 'y daw y dydd i sefydlu cadair ymhob Coleg i'r diben o ddysgu Psycho-Therapy'.[20] Cydnabu Daniel Evans yn ei gyfrol ddiddorol *Teithi Meddwl Ann Griffiths* yn 1934 hefyd 'na ellir heddiw gyda gradd o gysondeb ddehongli dirgelwch y profiad crefyddol heb wneuthur hynny yng ngoleuni meddyleg'.[21]

Ffigwr arall a fu'n ganolog yn ymgais deallusion Cymraeg i gydnabod arwyddocâd y feddyleg newydd oedd yr Athro David Phillips. Gwnaeth Phillips lawer iawn i hybu'r drafodaeth o seicoleg yn y Gymraeg yn rhinwedd ei swyddi fel golygydd *Y Traethodydd* a phrifathro coleg diwinyddol y Bala o'r 1920au i'r 1940au. Ceir datganiad o'i safbwynt ar y pwnc yn ei adolygiad o gyfrol Gaston Frommel, *The Psychology of the Christian Faith*, yn 1929:

> Dibrisir Meddyleg gan rai diwinyddion megis Karl Barth; ond tybiwn fod Frommel yn agos i'w le pan y deil fod yr Efengyl yn gyfaddas i natur dyn, a natur dyn i'r Efengyl, a'i fod gan hynny yn barnu'n gywir y gall adnabyddiaeth o natur dyn ac o'i anghenion amrywiol ddwyn i'r golwg wir ystyr, a rhinwedd, a dilysrwydd yr Efengyl.[22]

Aeth ymlaen i gyfrannu nifer o adolygiadau ar gyfrolau meddylegol pwysig i'r *Traethodydd*, gan gynnwys adolygiad o lyfr dylanwadol ac arloesol Erich Fromm, *The Fear of Freedom*, yn 1943.

Awgrymir cred Phillips yn nylanwad cymhellion anymwybodol dros ein hymddygiad pob dydd yn nheyrnged ei gyfaill y Parchedig R. R. Williams iddo yn 1952:

> Gwyddai nad y rheswm a roddwn dros gredu llawer peth ydyw'r gwir reswm yn fynych, a chwalai ef y rheswm tybiedig er mwyn cael gafael ar y gwir reswm. Wrth wneuthur hynny, byddai yr effaith ar bobl yn fynych yn waharddol, weithiau yn barlysol. Daeth i Gymanfa Holi ym Môn yn lled ddiweddar; chwalu atebion y rhai a geisia'i ateb a'u gwasgu i gongl fel yr oedd arnynt ofn ceisio ateb. Dywedai un brawd oedd yno eu bod yn myned o'r cyfarfodydd dan ofyn i'w gilydd a oedd rhywbeth y gallent anturio'i gredu![23]

Er mor galed gallasai ei gwestiynu fod, cyfeiria'r mwyafrif o deyrngedau iddo at ei ddiddordeb mewn seicoleg a'i rinweddau

15

fel seicolegydd craff a charedig. Gwnaeth ddefnydd ymarferol o seicdreiddiad gyda'i fyfyrwyr yng Ngholeg y Bala yn yr 1930au a'r 1940au. Honnwyd yn *Y Traethodydd* yn 1945, 'ceir rhywbeth eithriadol dros ben hyd yn oed ar hyn o bryd yng Ngholeg y Bala. Y mae'r Prifathro David Phillips yn hollol hyddysg yn nhechneg foderneiddiedig Suttie ac eraill o Seicoanalysis.'[24] Daw'r sylwadau hyn o erthygl gan un o'i gyn-fyfyrwyr, Gwilym O. Roberts, a oedd wedi'i hyfforddi'n llawn fel seicolegydd erbyn hynny. Aeth Roberts ymlaen i wneud cyfraniad unigryw i'r dehongliad o syniadau Freud a'i ddilynwyr, fel Ian Suttie ac Erich Fromm, yn y Gymraeg wedi'r Ail Ryfel Byd, fel y gwelwn ym mhennod 4, a Phillips oedd un o'i ddylanwadau cynharaf a chryfaf yn hynny o beth.

Agwedd bwysig o'r feddyleg newydd a nodir yn amryw o'r ymdriniaethau Cymraeg y cyfeirir atynt uchod yw iddi gwestiynu'r ffydd athronyddol cyffredinol yn rhesymoldeb honedig dyn. Fel y nododd Miall Edwards yn ei gyfrol *Crefydd a Diwylliant* yn 1934, sy'n cynnwys ymdriniaeth fanwl â syniadau Freud a Jung yn arbennig: 'fe aeth y ddysg newydd i raddau mawr o dan sylfeini'r hen syniad cyfforddus fod dyn uwchlaw popeth yn "fod rhesymol"'.[25] Pwyslais newydd Freud a'i ddilynwyr ar y greddfau a'r ffaith eu bod yn rheoli'r meddwl dynol ar lefel anymwybodol, i raddau helaeth, oedd yn gyfrifol am y newid sylfaenol hwn, a sylwid ar oblygiadau hynny yn nhermau moesoldeb o'r erthyglau cynharaf ynglŷn â'u dysgeidiaeth yn y Gymraeg ymlaen.

Gwelir J. Arthur Mason, o ganlyniad, yn datgan yn ei gyfres o ysgrifau ar wahanol ysgolion y feddyleg newydd yn 1924 fod bellach:

[r]haid i Foeseg fodloni ambell beth a alwyd yn anfoesol yn afiach (*morbid*). Golygai hyn rhywbeth a ddigwydd mewn afiechyd o'i gymharu â'r hyn â ddigwydd mewn iechyd. Meddylier am â ganlyn, ai drwg ai ynte afiach ydynt: Un ag iddo ysfa ladrad; y cybydd; y gwych am ganfod bai; yr hunanydd; mwynhawr peri poen i arall (fel Nero a llawer o'r rhai a groniclir yn ein papurau); y mwynhawr goddef poen, (fel yr hogyn a'i esgid fach) ac hoffter ambell un o adrodd ei afiechyd. Pan elwir y rhai hyn yn afiach ni ellir anwybyddu Moeseg pan drefnir eu bywyd. Nid mesur eu cyfrifoldeb a ddylid, ond edrych i mewn i achos y drwg.[26]

Yn yr un modd, dadleuodd David Lloyd yn *Yr Efrydydd* yn 1926 y dylid 'cydnabod y greddfau, a'u cyflogi, modd y gallont ymgorffori ac ymgoethi yn yr hunan mabwysiedig neu'r cydfod byw – "y dyn newydd"'.[27] Golygai hynny, ymhellach, fod angen ailystyried agweddau tuag at foesoldeb yn gyffredinol a 'mynd ymhellach yn ôl na gwaharddiadau deddf a chosbau cyfraith gwlad'.[28] Cydnabu Lloyd y gallasai honno fod yn dasg anodd ei derbyn, ond roedd yn un hanfodol i'w hysgwyddo serch hynny oherwydd 'y mae'r greddfau yn rhan wreiddiol o gynhysgaeth dyn fel dyn . . . Nid yw dyn yn gyfrifol am ei reddfau.'[29] Sylwodd Luther Thomas hefyd mewn ysgrif ar 'Yr Enaid Claf' yr un flwyddyn 'mai tuedd meddygon enaid yw llefaru am bethau moesol mewn termau meddygol, siaradant hwy am gwlwm (*complex*) yn hytrach na phechod'.[30]

Yr allwedd i drawsffurfio egnïon peryglus a dilywodraeth greddfau'r anymwybod yn ôl Freud oedd yr hyn a alwodd Miall Edwards yn 'ddyrchafiad' (*sublimation*), sef y gallu i'w sianelu i gyfeiriadau creadigol. Apeliodd y syniad hwn yn arbennig at ei ddehonglwyr Cymraeg, fel yn achos y gweinidog J. Lewis Williams yn 1933 a ddefnyddiodd drosiad amserol i'w ddisgrifio:

Gwelir bod y Mesur Trydan (*Electricity Bill*) sydd yn awr gerbron y Senedd yn dangos y ffordd y mae'r wladwriaeth yn myned i drawsnewid y nerth rhyfedd hwn, trydan, i gyfeiriadau ac amcanion na fuasai natur ohoni ei hunan yn ei wneud, sef gyrru peiriannau a goleuo tai, etc. Felly y gellir gyrru a thrawsnewid nerth gwreiddiol a chynhenid dynoliaeth i amcanion uchel moesol ac ysbrydol.[31]

Dehonglir y modd y sianelwyd angerdd ifanc Ann Griffiths trwy ei barddoniaeth fel enghraifft odidog o ddyrchafiad yng nghyfrol Daniel Evans ar ei theithi meddwl. 'Diau y gwêl y meddylegwyr yn yr angerdd dwys hwn holl egnïon greddfau'i meddwl nid egni'r nwyd rwyiol yn unig – wedi eu gollwng yn rhydd o'r diymwybod' meddai, ac roedd ei chreadigrwydd yn hanfodol oherwydd, 'ni cheid ymwared hyd oni ryddheid y cymhleth (*complex*), ac ni ddeuai bodlonrwydd nes rhoi'r cyfeiriad priodol i'r egnïon hyn.[32]

Roedd peryg i'r cysyniad o ddyrchafiad gael ei ddefnyddio yng ngweithiau'r awduron Cymraeg a'i trafododd i ategu ac atgyfnerthu rhai o'u rhagdybiaethau crefyddol blaenorol am natur y ddynoliaeth a phwysigrwydd gyrru'r greddfau aflywodraethus o'r golwg, yn hytrach na'u mynegi'n uniongyrchol. Hynny yw, gallasai'r dehongliad arbennig hwn o ddamcaniaeth Freud am yr anymwybod atgyfnerthu'r darlun diwinyddol o ddyn fel pechadur uwchlaw unrhyw rinweddau neu briodoleddau eraill.

Parhaodd y tueddiad hwn wedi'r Ail Ryfel Byd, fel yn yr enghraifft ganlynol o ysgrif T. Alun Griffiths 'Rheoli ein greddfau rhywiol' i gylchgrawn *Y Crynhoad* yn 1949, sy'n sôn am eu trawsnewid a'u trawsgyfeirio trwy waith creadigol.[33] 'Pethau i'w parchu' yw'r greddfau hynny, meddai, 'ac nid i'w gwthio fel ysbwriel gwarthus i ryw "seler" yn ein his-ymwybyddiaeth, i wenwyno a drewi yn y dyn oddi mewn'.[34] Gwelai ganlyniadau ataliad o'r math hwn ond yn rhy amlwg yn y gymdeithas o'i amgylch:

> Y mae meddyliau rhai pobl a adwaenaf fel 'cesspools' afiach, yn llawn budreddi ac amhuredd, a pha ryfedd felly fod eu geiriau a'u gweithredoedd fel heintiau difäol, yn lladd eu gwir bersonoliaeth, ac yn ddinistr i bawb a ddaw i gyffyrddiad â hwynt mor sicr â nwy gwenwynig.[35]

Roedd dyfarniad Gaius Evans ynglŷn â'r ddynoliaeth cyn hwyred ag 1966 yr un mor dywyll: 'Cymwynas Freud oedd ein hatgoffa fod (yng ngeiriau Genesis) "holl fwriad meddylfryd calon dyn yn unig yn ddrygionus bob amser".'[36] Atgyfnerthwyd ei fydolwg pesimistaidd gan eiriau cyfaill o seicolegydd: 'Cof gennyf ofyn i ddadansoddwr seicolegol faint o bethau da a phrydferth yr oedd yn dod ar eu traws wrth gloddio i'r isymwybod yn ei waith bob dydd. Ei ateb oedd mai budreddi oedd y cyfan oll.'[37]

Ond yn gyffredinol, ymagwedd fwy cydymdeimladol a thosturiol tuag at yr hunan a gwendidau dynol a fynegir yn yr ymdriniaethau Cymraeg â seicdreiddiad trwy gydol y cyfnod dan sylw; rhan o bwyslais cyffredinol newydd ar yr unigolyn a'i bersonoliaeth yn sgil dylanwad seicoleg. Ceir sylwadau craff ar y duedd hon yn erthygl y Parchedig Berian James ar 'Personoliaeth' yn 1931, lle noda mai dim ond unwaith y defnyddir y gair person trwy gydol y Beibl Cymraeg:

Yn gymharol ddiweddar adnewyddwyd diddordeb mewn Personoliaeth trwy ymchwiliadau Meddyleg. Dysg meddyleg inni mai yn nhermau profiad, hunanymwybyddiaeth ac ymddygiad y mae astudio problem Personoliaeth, ac nid yn nhermau haniaethol sylwedd a natur. Hanfod Personoliaeth ydyw hunanymwybyddiaeth.[38]

I Euryn Hopkins, yn ysgrifennu yn yr un flwyddyn, roedd peryglon amlwg i'r ymwneud newydd hwn â'r hunan:

Gwelir ar unwaith mai tuedd y Feddyleg Newydd yw cau dyn i mewn ynddo ei hunan. Gosodwyd gormod pwyslais ar hunanymchwil, ac anghofiwyd bod ochr wrthrychol i'w fywyd yn ogystal ag ochr fewnol; ac y gall ddod o hyd i Dduw y tu allan i'w hunan hefyd.[39]

Rhybuddio yn erbyn peryglon y duedd gyfoes tuag at unigolyddiaeth a oedd ar gynnydd wrth i'r bywyd dinesig gryfhau y gwnaeth David Evans yntau yn ei gyfrol ddiddorol, *Y Wlad: Ei Bywyd, Ei Haddysg a'i Chrefydd*, yn 1933: 'Tuedda holl fywyd y ddinas i brofi syniadau Freud mai dau ynni treiddiol sydd – y myfïaeth a chnawdolrwydd, ac nad yw delfrydau ond cnawdolrwydd caeth ac aruchel.'[40] Ymdebygai'r ateb mae'n ei gynnig i ddarlun cydamserol yr athronydd Iddewig Martin Buber o'r berthynas fi a ti (*Ich und Du*) a fu'n ddylanwad pwysig yn natblygiad dirfodaeth fodern: 'Ni ddeellir mai gwerth eneidiol sydd i bopeth allanol a chnawdol personoliaeth. Rhwymynnau dwfn, dwys ac ysbrydol yw pob gwir rwymyn rhwng y *fi* a'r *ti*, a rhaid i bob moddion i wir hapusrwydd olygu coethder pob nwyd naturiol, a chynnwys yr enaid.'[41] I'r ysgolhaig ifanc Alwyn D. Rees, yn ysgrifennu yn 1943, roedd yr Ail Ryfel Byd a'i ragflaenydd wedi atgyfnerthu'r darlun o afresymoldeb cynhenid dyn a adeiladwyd yng ngweithiau arloeswyr y feddyleg newydd: 'Torrodd y trychinebau hyn trwy'r wyneb a dangos gwegi mewnol ein cymdeithas, a sylweddolodd gwerin Ewrop am y tro cyntaf ers canrifoedd nad

pwerau rhesymol, sylweddol sy'n llywodraethu bywyd ein cym-
deithas ond pŵerau dall, direswm ac annynol.'[42]

Ond yn ôl W. T. Gruffudd, un o'r sylwedyddion Cymraeg
mwyaf craff ar seicoleg a drafododd y pwnc yn y cyfnod wedi'r
Ail Ryfel Byd, gallai bosibiliadau buddiol a bendithiol ddeillio
o ganolbwyntio ar yr hunan o dan arweiniad y seicdreiddwyr :

Clywir llawer am y Seicoanalist yn llwyddo i elfennu'r enaid a
gweled yr hyn a â ymlaen yn nyfnder cudd y diymwybod. Cais y
wybodaeth trwy gymorth breuddwydion y dioddefydd neu wylio
adwaith ei feddwl i eiriau neu ddrychfeddyliau syml a gynigir iddo.
Felly'n fynych y deuir o hyd i'r hyn a achosa'r rhwyg yn yr enaid.
Ceisir gafael ar yr hunan gau a'i ddwyn i fyny er mwyn i'r hunan
gwir ei weled a'i wrthod, ac felly ddatod y 'cwlwm' ac uno'r enaid.
Difesur yw cymwynas Freud i'r byd yn hyn oll.[43]

Ymdebyga'r darlun uchod o'r rhwyg yn yr hunan at y syniadau
ynglŷn â'r ffug hunan (*false self*) roedd Donald Winnicott – un o'r
seicdreiddwyr Prydeinig mwyaf dylanwadol, ac un o'r ffigyrau
amlycaf yn Nghlinig y Tavistock yn Llundain wedi'r Ail Ryfel
Byd – yn eu datblygu yn y cyfnod hwn. Daeth y seicotherapydd
radical o'r Alban, R. D. Laing, o dan ddylanwad syniadau Winnicott
wedi iddo ddechrau gweithio yn y Tavistock yn yr 1950au, a
gwnaeth ddefnydd helaeth o'i ddisgrifiad o'r ffug hunan yn ei
gyfrol bwysicaf, *The Divided Self*.[44]

Mae'r adlais o syniadau Winnicott yng nghyfrol W. T. Gruffudd,
Crist a'r Meddwl Modern, a gyhoeddwyd yn 1950, yn enghraifft o'r
modd y datblygodd deallusion Cymraeg syniadau eu hunain yn
gyfochrog â datblygiadau cyfoes ym maes seicoleg ac athroniaeth,
ac yn annibynnol iddynt, i ryw raddau. Hynny yw, nid ailgylchu
ac ailadrodd syniadau Freud a wnaeth awduron fel Gruffudd ar
ôl 1945, na'u rhagflaenwyr fel Miall Edwards rhwng y rhyfeloedd,
ond cynnig dadansoddiad beirniadol ohonynt wrth gyflwyno
eu syniadau eu hunain yn y broses. Gwelir tebygrwydd yn hyn o
beth rhwng eu gwaith â syniadau'r Neo-Freudiaid: grŵp o seico-
therapyddion anuniongred fel Erich Fromm, Karen Horney a
Harry Stack Sullivan a gwestiynodd rai o brif bileri Freudiaeth

gonfensiynol yn eu gwaith. Eglura hyn i raddau helaeth y sylw cynyddol a rydd rhai o'r awduron Cymraeg hyn i syniadau Carl Jung, y prif ffigwr o fewn seicdreiddiad a wrthryfelodd yn erbyn arweiniad Freud, fel y dychwelwn ato yn y man.

Gwelir dylanwad y Neo-Freudiaid yn glir hefyd yn narlith ffigwr a wnaeth gyfraniad pwysig i'r drafodaeth ynghylch athroniaeth a seicoleg yn y Gymraeg wedi'r Ail Ryfel Byd, sef H. V. Morris-Jones. Gweinidog gyda'r Methodistiaid Calfinaidd oedd Morris-Jones a chyfrannodd erthyglau rheolaidd i'r wasg enwadol. 'Y Meddwl Gwyddonol a'r Efengyl' oedd pwnc ei ddarlith yng nghyfres flynyddol yr Arglwydd Davies, a draddodwyd yn 1964. Dadleuodd ynddi y gallai seicoleg gryfhau ac atgyfnerthu Cristnogaeth nid trwy bwysleisio'r syniad o ddyn fel pechadur ond trwy gynnig ieithwedd newydd oedd yn fwy dealladwy a pherthnasol i'r dyn neu'r ddynes fodern:

> Nid yw'n ormod dweud y gall Seicoleg heddiw fod yn foddion i adfer awdurdod moesol ac ysbrydol y Beibl. Gorwedd ei chym-hwyster i wneuthur hynny yn y ffaith ei bod yn medru siarad yn iaith ein cyfnod ni am bethau na all llawer o bobl heddiw afael gystal yn eu hystyr pan fynegir ef mewn termau defosiynol a diwinyddol.[45]

Sylwodd hefyd bod gwaith y Neo-Freudiaid, a ddaeth i amlyg-rwydd cynyddol yn y cyfnod wedi'r Ail Ryfel Byd, wedi pwys-leisio'r angen i sefydlu'r ffactorau sy'n gwneud yr unigolyn yn seicolegol iach, yn ogystal â'r hyn sy'n arwain at niwrosis o wahanol fathau. Yng ngwaith Fromm, Gordon Allport ac eraill, roedd hyn yn cynnwys y rhan adeiladol a buddiol gallasai grefydd chwarae yn adeiladwaith seicolegol yr unigolyn. Fel y nododd Morris-Jones: 'erbyn hyn y mae rhai seicolegwyr, wrth iddynt astudio'r profiad crefyddol yn yr "adult" normal, yn ymdeimlo â'r hyn sydd yn "ysbryd ac yn fywyd" mewn gwir grefydd'.[46]

Dylid nodi yn y cyswllt hwn nad seicdreiddiad yn unig o blith ysgolion y feddyleg newydd a drafodwyd yn y wasg Gymraeg yn y cyfnod dan sylw. Derbyniodd ymddygiadaeth (*behaviourism*) ac ysgolion eraill sylw achlysurol, yn ogystal, fel yn achos dadansoddiad y Parchedig T. Ellis Jones, o'r 'Gestalt School' i *Seren Gomer* yn 1935:

> Ystyr y gair 'gestalt' ydyw 'ffurf' neu 'batrwm'. Pwysleisir gan yr ysgol hon gyfanrwydd profiad, a gwrthwynebant i'r eithaf y rhai a gred mai cyfanswm o elfennau yw'r profiad dynol. Dywedant fod pob profiad fel tôn. Nid cyfanswm y nodiadau a geir ynddi ydyw tôn, yn hytrach y mae iddi gyfanrwydd, ac y mae i'r cyfanrwydd yna ystyr a gwerth sydd yn myned i golli, os dadelfennir hi.[47]

Tanlinellodd Jones hefyd pa mor bwysig oedd dealltwriaeth gyflawn o dermau gwahanol ysgolion y feddyleg newydd yng nghymdeithas gyfoes: 'Nid yw dyn yn neb heddiw, os na all fritho ei ymadroddion a thermau megis *Unconscious, Suggestion, Reflex, Sublimation, Complex, Libido, etc. etc.*'[48]

Cyfeirir at *Gestaltpsychologie* neu 'Meddyleg Ffurf' yng nghyfrol Miall Edwards, *Crefydd a Diwylliant*, y flwyddyn flaenorol ac yng nghyfrol ddiddorol G. Wynne Griffith, *Datblygiad a Datguddiad*, a seiliwyd ar ddarlith Davies, 1942. Disgrifia Griffith brif nodweddion ymddygiadaeth a seicdreiddiad hefyd, gan nodi yng nghyswllt syniadau Freud, Jung ac Alfred Adler, fel amryw o'i gyd-ddeallusion Cymraeg: 'tueddant i wneud i ffwrdd bron yn llwyr â'r syniad am ddyn fel creadur rhesymol'.[49] Cyfeiria at rôl hanfodol y 'seiniadur (*censor*)' mewn trawsnewid 'chwantau tywyll' yr anymwybod i gyfeiriadau cymdeithasol mwy defnyddiol a derbyniol trwy *sublimation*. Yr un proses sy'n gyfrifol yn ôl Freud, fe ddengys, am greu teimladau crefyddol, wrth i ddymuniadau rhywiol gael eu trawsgyfeirio tuag at y syniad o Dduw. Fel yn y mwyafrif o weithiau eraill cynnar ar Freudiaeth yn y Gymraeg, ceir amlinelliad clir a gweddol wrthrychol o'i brif syniadau yng nghyfrol Griffith, sy'n awgrymu eto pa mor agored a pharod i dderbyn dylanwadau Ewropeaidd oedd y diwylliant deallusol yng Nghymru yn hanner gyntaf yr ugeinfed ganrif er mwyn ceisio ymdrin â'r argyfyngau crefyddol a seicolegol a sbardunwyd gan ddau ryfel byd.

Cyhoeddwyd cyfrol arall bwysig yn y cyd-destun hwn, sef *Iechyd yng Nghymru*, gan Dr T. Trefor Jones, yn 1946.[50] Meddyg teuluol a gweinidog yn ardal Rhuthun oedd Trefor Jones ar y pryd, a bu'n dipyn o arloeswr fel awdur Cymraeg yn y cyfnod dan sylw gan iddo hefyd gyhoeddi cyfrol feiddgar o'r enw *Ar Lwybr Serch* yn trafod rhyw, cynllunio teuluol ac atal cenhedlu o safbwynt meddygol yn 1945, y llyfr cyntaf o'i fath yn y Gymraeg.[51] Yn ei ail gyfrol, ceir pennod ar 'Swydd y Meddwl' sy'n disgrifio'r 'tir neb' yng Nghymru o ran ymrafael â phroblemau seicolegol mewn modd tebyg iawn i'r gweinidog carismatig Tom Nefyn yn ei hunangofiant ysbrydol, rhyfeddol, yntau, *Yr Ymchwil*.[52] Er bod miloedd o feddygon a gweinidogion wrthi'n trin y corff a'r ysbryd yng Nghymru, dadleua 'pan feddylier am iechyd yr enaid fel cyfuniad o iechyd corff ac iechyd ysbryd, neu fel iechyd yr organeb gyfan, gwelir yn glir iawn mai ychydig yw'r darpariaethau ymarferol ac effeithiol i ymdrin ag anhwylderau yn y maes pwysig hwn'.[53] Roedd y meddyg a'r gweinidog ill dau ar goll yn y 'tir neb' y rhwydwyd y mwyafrif o'r Cymry ynddo.

Cyflwr o anfodlonrwydd tawel a chyson, sy'n gyfarwydd iawn hyd heddiw, a nodweddai'r 'tir neb' yn ôl Jones. 'Beth ynteu yw ein cyflwr' gofynna:

> O! dim ond ein bod yn ddreng, yn anfoddog, yn anniddig, yn anhwylus, yn ddiflas, yn anghynnes, yn anhapus, yn ddryslyd, yn ddiymadferth, yn aneffeithiol, yn anlwcus, yn flin, yn wenwynllyd, yn anfelys, yn biwis, yn sarrug, yn blagus, yn ddidaro, yn ddideimlad, yn ddifater, yn ddihid, yn ddiynni, yn drafferthus, yn siomedig, yn genfigenllyd, yn bryderus, yn ofnus, yn ddrwgdybus, yn ddigalon, yn ddifraw, yn fyr ein tymer, yn anodd ein trin, yn hawdd ein tarfu etc. etc. Ie! Dim ond hyn. Efallai nad oes fawr ddim o'i le arnom, ac eto nid oes ddim yn iawn ynom chwaith.[54]

Y feddyginiaeth mae'n argymell i gau'r bwlch rhwng gwaith y meddyg a gwaith y gweinidog er mwyn trin yr anhwylderau uchod yw 'sefydlu math o ystafell ymgynghori ynglŷn â phob eglwys', yn debyg i'r *'help and healing clinic'* dadleuodd Tom Nefyn y dylid eu sefydlu yn *Yr Ymchwil*.

Mae'n ddiddorol nodi i Nefyn astudio seicoleg yn ystod y cyfnod hwn, a gwneud defnydd o'r hyn a ddysgodd yn ei waith pob dydd fel gweinidog. Fel y dywed Harri Parri yn ei gofiant iddo, defnyddiodd . . . ddegwm o arian y dysteb i ddilyn cwrs yng nghanolfan Woodbroke, sefydliad gan y Crynwyr yn Selly Oak, Birmingham, yn astudio seicoleg (ymhlith pynciau eraill) wrth draed ei arwr mawr, W. Fearon Halliday; profiad a phwnc fu'n agos iawn at ei galon o weddill ei ddyddiau.[55]

Roedd yr angen i'r capeli wneud gwell defnydd o'r wybodaeth seicolegol ddiweddaraf yn thema gyson yn y wasg enwadol yng nghyfnod cyhoeddi hunangofiant Nefyn. Nodir mewn erthygl yng nghyfnodolyn yr Undodiaid ar ddechrau'r 1950au, er enghraifft, mai: 'Ychydig iawn a glywyd o'r pulpud ar y pwnc hwn: iechyd meddyliol. Geiriau mawr y pulpud hyd yma fu cyfiawnder a phechod. Yng nghyffiniau'r testun uchod, fe all y geiriau hyn fod yn fagl ac yn rhwystr.'[56] Fel yr awgrymwyd eisoes, roedd dylanwad cynyddol seicoleg a seicdreiddiad yn amlwg yn cynyddu'r ymwybyddiaeth yng Nghymru wedi'r Ail Ryfel Byd o'r niwed gallasai'r hen ddarlun o'r unigolyn fel pechadur uwchlaw unrhyw rinweddau posib eraill ei achosi.

Pwysleisiodd Trefor Jones yn ei gyfrol yntau'r angen i'r awdurdodau crefyddol sicrhau fod gweinidogion ifanc yn fwy cyffredinol yn cael eu hyfforddi'n drwyadl mewn 'Eneideg Fugeiliol', a chydnabu fod peth cyfarwyddyd o'r fath yn cael ei gynnig yng Ngholeg y Bala eisoes.[57] Rhan bwysig yn hyn oedd i weinidogion ddysgu mwy am yr hyn yr amlygodd gwaith Freud a'i ddilynwyr ynglŷn â rôl hanfodol y greddfau yng ngwneuthuriad seicolegol unigolion. 'Bydd y dysgawdwr da yn hyddysg yn ffeithiau mawrion ymgnawdoliad' meddai, a 'bydd hefyd yr un mor gartrefol ym myd y greddfau anifeilaidd'.[58] Mae'n cydnabod pwysigrwydd syniadau Freud ymhellach trwy danlinellu mai yn yr anymwybod y celir meithrinfa'r mwyafrif o anhwylderau seicolegol, a dod â'r rhain i'r wyneb oedd nod y cynghorydd craff. 'Cael ei ddysgu i ddyfod i delerau da â'i anymwybod personol yw prif angen y dysgwr' yn sgil hynny.[59] Ym marn oleuedig Jones, seicotherapi oedd yr allwedd i adfer iechyd meddwl, yn hytrach na dibynnu ar driniaeth trwy gyffuriau yn unig. Dywed 'y mae gobaith ein dyfodol yn fwy mewn cyfarwyddiadau doethach nag mewn cyffuriau detholach'.[60] Yn sicr roedd ei gasgliad ynglŷn ag iechyd pobl ifanc o flaen ei amser ac yn un y gallwn elwa o'i gofio heddiw: 'Iechyd eu meddyliau o'u mebyd ymlaen a ddylai fod yn brif nod y rheini oll, pob athro, pob offeiriad a phob meddyg.'[61] Ceir adlais eto, fel yn achos W. T. Gruffudd, o syniadau R. D. Laing a'r mudiad gwrth-seiciatreg (*anti-psychiatry*), a fyddai'n datblygu yn yr 1950au a'r 1960au o dan ddylanwad Erving Goffman ac eraill, yn ei bwyslais ar driniaeth trwy therapi unigol yn hytrach na chyffuriau.[62]

Parhaodd dylanwad syniadau Freud i amlygu ei hun yng ngweithiau diweddarach Trefor Jones ar addysgu pobl ifanc ynglŷn â'u rhywioldeb. Cyfeiria at y 'coethiad (*sublimation*)' yn ei lyfryn, *Gwyddor Serch*, yn 1953 gan nodi, 'nad peidio â rhoi mynegiant o gwbl i'r libido a olygir wrth ei goethi; nid ceisio ymwrthod â'r ffaith fod y dyheadau rhywiol yn bresennol; nid eu diystyru a cheisio byw fel pe na baent'.[63] 'Llethiad (*repression*) nid coethiad fyddai hynny'; dadleuai, ymhellach, 'proses eneidegol afiach i'r person ei hun, ac aflesol i bobl o'i gwmpas'.[64] Derbyn a thrawsgyfeirio egni'r libido dylid ei wneud, fe argymell, yn hytrach na'i atal, ac er i'w ymdriniaeth â'r pwnc dderbyn beirniadaeth o du'r weinidogaeth, yn ôl Gwilym O. Roberts, un o'i gefnogwyr amlycaf, mae ei ymgais i'w drafod yn nodweddiadol o'r modd cyfrannodd dylanwad seicdreiddiad at ymdriniaeth fwy agored â rhywioldeb o fewn y diwylliant Cymraeg wedi'r Ail Ryfel Byd.[65]

Mae pwyslais Trefor Jones ar iechyd meddwl pobl ifanc yn nodweddiadol hefyd o'r cynnydd mewn diddordeb yn seicoleg plant a phobl ifanc a welwyd yn yr 1930au a'r 1940au ac a adlewyrchwyd yn yr ymdriniaethau Cymraeg â'r pwnc yn gyffredinol. Cyfeiriodd J. H. Griffith yn ei gyfrol yng Nghyfres Pobun Gwasg y Brython yn 1946 at waith Dorothy F. Wilson ar 'eneideg y plentyn' a'i chyfrol *Child Psychology and Religious Experience*.[66] Roedd canfyddiadau'r gangen arbennig hon o'r feddyleg newydd wedi cadarnhau mai'r 'plentyn yn ddi-os yw tad y dyn', yn ôl Griffith, ac wedi dangos pa mor rymus yw 'grym awgrym' yn ei ddatblygiad.[67] Roedd Francis Williams yn ei herthyglau ar 'Eneideg a Dirwest' yn *Y Gymraes* wedi sylwi mor gynnar â 1930 'ar le awgrymiad ym mywyd plentyn' ac wedi cynghori mamau o ganlyniad i ofalu bod eu 'hawgrymiadau yn gadarnhaol ("positive"), ac nid nacáol ("negative"); yn adeiladol ("constructive"), ac nid distrywiol ("destructive")'.[68] Gellir dehongli'r pwyslais newydd hwn ar sensitifrwydd seicoleg y plentyn fel rhan o'r un tueddiad a gyfeiriwyd ati eisoes i ddangos empathi tuag at wendidau a phroblemau unigolion, yn hytrach na'u condemnio. Cryfhaodd y tueddiad hwn wedi'r Ail Ryfel Byd, fel y gwelwn yn erthygl y diwygiwr cymdeithasol Merfyn Turner ar 'Un o'r Rhai Bychain Hyn' yn 1952.[69]

Roedd Turner yn gweithio gyda phobl ifanc yn nwyrain Llundain ar y pryd, cyn dechrau ar ei waith pwysicaf gyda charcharorion, a dadleua yn ei ysgrif 'na ddylid cosbi plant ar unrhyw achlysur'.[70] Cyfeiria at waith un arall o arloeswyr Clinig y Tavistock yn y cyfnod wedi'r Ail Ryfel Byd, sef John Bowlby, a'i astudiaeth yn benodol o droseddwyr ieuanc. Dengys ymchwil Bowlby, yn ôl Turner, mai un ffordd yn unig o fagu plant oedd yn effeithiol er mwyn osgoi cymhlethdodau a phroblemau seicolegol yn eu plith fel oedolion. 'Nid trwy anwybyddu, na cheryddu, na chosbi,' meddai, 'eithr trwy esiampl, trwy i'r rhieni ddangos yn eu bywyd eu hunain y rhinweddau hynny, a'r elfennau y gobeithient eu meithrin ym mhersonoliaeth eu plant, ac a'u gwnelo'n blant cytbwys eu datblygiad, ac yn anad dim, yn blant hapus.'[71] Tueddai Bowlby a Donald Winnicott roi'r pwyslais yn ormodol ar gyfrifoldeb mamau i sicrhau datblygiad seicolegol iachus eu plant ar draul rôl tadau yn y broses; ffactor a arweiniodd at feirniadaeth chwyrn ail don ffeminyddiaeth o'u gwaith o'r 1960au ymlaen. Aeth Turner ei hun ymlaen i wneud gwaith arloesol gyda chyn-garcharorion er mwyn eu hail sefydlu yng nghymdeithas trwy gynnig cartref a sefydlogrwydd iddynt, yn aml am y tro cyntaf yn eu bywydau.[72]

Daeth sylwadau Trefor Jones a J. H. Griffith ar seicoleg pobl ifanc o'u cyfrolau yng Nghyfres Pobun Gwasg y Brython, a olygwyd gan y gweinidog a nofelydd E. Tegla Davies. Cyfrannodd Tegla cyn y rhyfel i'r drafodaeth yn y wasg enwadol ynghylch syniadau Freud, ac fel Saunders Lewis yn ei gyfrol ar Williams Pantycelyn, gwelai debygrwydd sylfaenol rhwng ei dechnegau seicdreiddiol a'r seiat Gristnogol.[73] Dadleuodd bod seicdreiddiad wedi cynnig bywyd ac ystyr newydd i'r traddodiadau Cristnogol trwy danlinellu: 'fod cyffes yn un o amodau cyntaf iachawdwriaeth, mai'r enaid gonest yw'r enaid cadwedig . . . A derbynia'r seiat ac adrodd profiad, hefyd, trwy hyn ogoniant newydd.'[74] Fel y mwyafrif o sylwedyddion crefyddol Cymraeg eraill yn y cyfnod rhwng y rhyfeloedd, roedd Tegla yn ddigon eangfrydig ac agored ei feddwl i allu gweld y tir cyffredin, annisgwyl, ar yr olwg gyntaf efallai, a fodolai rhwng seicdreiddiad ac agweddau o'r traddodiad Anghydffurfiol, yn enwedig y seiat, yn hytrach na chondemnio'r ddysgeidiaeth, er gwaethaf gwrthwynebiad amlwg Freud ei hun i grefydd o unrhyw fath. Cyhoeddwyd 19 o gyfrolau yng Nghyfres Pobun o dan ei olygyddiaeth graff, gan gynnwys gweithiau ar addysg; y wasg Gymraeg; diwydiant a masnach; a llenyddiaeth Gymraeg. Ei nod, yn ôl rhagair y gyfres, oedd darparu deunydd a fyddai'n paratoi'r werin ar gyfer diwedd y rhyfel drwy 'ymdrin â'r problemau mawr a wyneba Gymru y pryd hynny'.[75]

Roedd Cyfres Pobun yn un o dair cyfres bwysig, ynghyd â Llyfrau'r Dryw a chyfres Llyfrau Pawb Gwasg Gee, a gychwyn-nwyd gyda'r amcan o gynnig amrywiaeth o ddeunydd darllen gwahanol am bris rhesymol yn ystod yr Ail Ryfel Byd. Bu'n gyfnod o brysurdeb mawr ym myd cyhoeddi Cymraeg, er gwaethaf y prinder papur a ddaeth yn sgil y brwydro. Cyfeiriodd Tecwyn Lloyd at y prinder hwn wrth edrych yn ôl ar lansio *Lleufer*, cylch-grawn Cymdeithas Addysg y Gweithwyr yn 1943: 'Culhaodd y papurau newydd a'r cyfnodolion, dirywiodd ansawdd eu papur ac aeth print yn boenus o fân . . . ni cheid papur at argraffu heb ymbilio'n gynhennus amdano . . .'[76] Lansiodd Gwasg Gee Llyfrau Pawb yn 1943, ac erbyn cyhoeddi cyfrol T. E. Nicholas o gerddi, *Y Dyn a'r Gaib*, yn Ebrill 1944 roedd 11 o gyfrolau eisoes yn y gyfres. Yn ôl y wybodaeth am y gyfres ar glawr cefn cyfrol y comiwnydd o'r Glais, a garcharwyd mor anghyfiawn yn ystod y rhyfel: 'Anelir at gyfarfod chwaeth amrywiol ddarllenwyr Cymraeg o bob oed – y sawl a hoffa stori, y darllenydd a gâr brydyddiaeth, a'r rhai sy'n ymbalfalu am oleuni ar broblemau astrus y dydd.'[77] Nodir hefyd bod bron bob copi o'r cyfrolau a gyhoeddwyd yn y gyfres hyd hynny wedi'u gwerthu. Ymddangosodd dros ddeg ar hugain o lyfrau byr yn y gyfres, gan awduron mor amrywiol â Charadog Prichard, Sarnicol, George M. Ll. Davies a David Thomas.

O dan olygyddiaeth ifanc y brodyr Aneirin ap Talfan ac Alun T. Davies, cyhoeddwyd cyfrolau ar ystod hyd yn oed ehangach o bynciau yng nghyfres Llyfrau'r Dryw dros yr un cyfnod; gyda chyfieithiadau T. Hudson Williams o *Storïau o'r Rwseg* gan Pwshcin, Gogol a Tolstoi a chyfieithiad Gwenda Gruffydd o straeon Maupassant yn ymddangos ochr yn ochr â chyfrolau barddonol, diwinyddol ac athronyddol Alwyn Rees, Ambrose Bebb, Elfed, Kate Bosse-Griffiths ac eraill.[78] Braenarwyd y tir ar gyfer y cyfieithiadau hyn o rai o weithiau llenyddol mawr Ewrop gan Gyfres y Werin a gyhoeddwyd gan Hughes a'i Fab rhwng 1920 ac 1927. O dan arweiniad Ifor L. Evans a Henry Lewis, ymddangosodd 15 cyfrol yn y gyfres, ac yn eu plith roedd clasuron llenyddol y cyfandir, megis *Faust* Goethe. Cymeradwyodd yr ysgolhaig ifanc T. J. Morgan fenter y brodyr Davies mewn adolygiad o'r ddwy gyfrol gyntaf a gyhoeddodd Llyfrau'r Dryw yn 1941, gan nodi ei fod 'yn hen bryd i ni Gymry gael cyfres o lyfrau tebyg i'r cyfresi "adarog" sydd mor boblogaidd a llwyddiannus yn Saesneg'.[79]

Ychydig flynyddoedd cyn lansio Llyfrau'r Dryw, sefydlodd Prosser Rhys – ffigwr allweddol ym myd cyhoeddi Cymraeg y cyfnod – y Clwb Llyfrau Cymreig yn 1937. Cyfeiriodd Rhys at amcanion aruchel a gorwelion eang y fenter mewn hysbyseb ar ei chyfer: 'Teimlir bod angen am gyfres o lyfrau yn ymwneuthur â phroblemau cenedlaethol Cymru a phroblemau cenedlaethol gwledydd eraill er mwyn gwneuthur y Gymru newydd yn Gymru o ddinasyddion deallus a chyfrifol.'[80] Tyfodd aelodaeth y clwb yn sydyn iawn o 2,000 yn y flwyddyn gyntaf i dros 3,000 y flwyddyn olynol, a dros y 15 mlynedd nesaf cyhoeddwyd dros 40 o gyfrolau amrywiol o dan ei henw, gan gynnwys gweithiau dylanwadol awduron fel T. H. Parry-Williams, Gwenallt, Myrddin Lloyd a Kate Roberts.[81] Adlewyrchir nod Prosser Rhys i lyfrau'r clwb roi sylw i amrediad mor eang â phosib o bynciau yn rhestr ei chyhoeddiadau dros y cyfnod hwn, sy'n cynnwys rhai o glasuron Cymraeg yr ugeinfed ganrif: dwy nofel bwysicaf Elena Puw Morgan, *Y Graith* a'r *Wisg Sidan*; dwy gyfrol o ysgrifau T. H. Parry-Williams, *Lloffion* ac *O'r Pedwar Gwynt*, ynghyd â'r casgliad pwysig dan ei olygyddiaeth o *Hen Benillion*; cyfrol Saunders Lewis o *Ysgrifau Dydd Mercher*; a chasgliadau Myrddin Lloyd o erthyglau

Emrys ap Iwan. Cyhoeddodd y clwb hefyd llyfrau taith; beirniadaeth lenyddol; cofiannau; a chyfrolau ar faterion cyfoes, gan gynnwys golwg Gwilym Davies ar *Gymru Ddoe a Heddiw*.

Cyfrol Tegla Davies, *Y Sanhedrin*, yw un o'r rhai mwyaf gwreiddiol a diddorol a gyhoeddodd y Clwb Llyfrau Cymreig.[82] Cyfres o drafodaethau dychmygol rhwng grŵp o ddynion mewn pentref yng ngogledd Cymru y bu'n rhaid iddynt aros adref yn ystod yr Ail Ryfel Byd a geir ynddi, gan gynnwys ymdriniaeth heriol tu hwnt â'r berthynas rhwng y ddynoliaeth ac anifeiliaid. Dadleua'r ysgol feistr yn 'Pa beth yw dyn' nad oes hawl gan y ddynoliaeth dra-arglwyddiaethu dros greaduriaid eraill, o reidrwydd:

> 'Onid neges pob creadur,' ebr ef, 'yw byw ei fywyd ei hun yn naturiol, fel dyn yn union, ac nad oes unrhyw greadur yn byw er mwyn creadur arall? Erbyn meddwl, dyna'r dywededig fân greaduriaid yn y tŷ hwn, a defnyddio iaith y gweinidog, y bydd yn rhaid inni ffiwmigeitio'r tŷ er mwyn cael gwared â hwy, nid hwy a ymosododd arnom ni yn gyntaf, eithr ni a dresbasodd ar eu tiriogaeth hwy. Yr oeddynt yma'n dawel, yn byw yn eu ffordd eu hunain, heb boeni neb, nes i ni ddyfod yma. A phan ddaethom, ni welsant hwy ynom ddim ond tamaid gwell na'r hyn a gaent yn rhigolau'r tŷ. Felly y mae pob creadur. Nid y llew a dresbasodd ar diriogaeth dyn, ond dyn ar diriogaeth y llew; a pha hawl sydd gan ddyn i dreisio pob creadur er ei fwyn ei hun.'[83]

Ceir hefyd drafodaethau ar ddiwinyddiaeth gyfoes meddylwyr fel Karl Barth a'r Americanwr Reinhold Niebuhr yn y gyfrol, ynghyd â dadl ynglŷn â pha drefniadau a diwygiadau cymdeithasol ddylai ddilyn y rhyfel, sydd oll yn arddangos ehangder darllen a dysg Tegla Davies. Mae ei waith yn hynny o beth yn tanlinellu un o rinweddau pennaf galwedigaeth gweinidogion y cyfnod, sef fod ganddynt yr amser i astudio yn eang yn ystod yr wythnos, a digonedd o gylchgronau a phapurau yn barod i gyhoeddi ffrwyth eu hymchwil.

Roedd cylchgrawn aelodau'r Clwb Llyfrau Cymreig ei hun yn un o'r cyhoeddiadau hynny am gyfnod byr tua diwedd yr 1930au. Datgelir y rhesymeg tu ôl y clwb, a mentrau cyhoeddi eraill y cyfnod, yn sylwadau William George i rifyn Ionawr 1938 o'r *Clwb* ar yr wythnos lyfrau Cymraeg a gynhaliwyd yn yr Amgueddfa Genedlaethol. Cyfeiriodd at gysyniad creiddiol un o ddisgyblion pwysicaf Freud, Alfred Alder, wrth nodi mai amcan yr arddangosfa oedd 'lladd y teimlad o israddoldeb – yr *inferiority complex* hwnnw – sydd mor andwyol i'n tyfiant cenedlaethol, a chynyddu ein hyder ynom ein hunain ac yn ein gallu i gyflawni amcan ein bodolaeth fel cenedl'.[84] Bu cysyniad Adler o'r cymhleth israddoldeb yn ddefnyddiol i Gymry eraill yn y cyfnod hwn ddatblygu eu dealltwriaeth o seicoleg eu cenedl, fel y gwelwn.

Jung, Adler ac eraill

Ffigwr diddorol arall a geisiodd gymhwyso rai o wersi Freud, Adler ac eraill i gwestiynau cymdeithasol mwyaf dyrys ei oes oedd yr athro ac athronydd David Richards. Erbyn yr Ail Ryfel Byd roedd Richards, pregethwr gyda'r Annibynwyr ar y pryd, eisoes wedi cyfrannu cyfres o erthyglau arloesol ar 'Psycho-analysis a Chrefydd' i'r *Dysgedydd* yn 1926. Richards oedd yr awdur Cymraeg cyntaf i ymdrin mewn unrhyw ddyfnder â syniadau Carl Jung. Cyflwynodd ddisgrifiad Jung o'r gwahanol deipiau seicolegol, yn bennaf yr *introvert* a'r *extravert*, a'i syniad canolog am 'ymwybyddiaeth yr hil' (y *collective unconscious*), lle triga'r *father-mother-imago complex* a deflir allan (*project*) yn 'yr Idëa o Dad Anfeidrol a Pherffaith' ar ffurf Duw, yn yr erthyglau hyn.[85] Fel y dywedwyd mewn teyrnged iddo wedi ei farwolaeth yn 1949:

> Athronydd oedd o flaen dim, ond nid crëwr eithr dehonglwr, ac yr oedd camp ar y modd y meistrolai ei bwnc a'r modd y cyflwynai ef i eraill. Dyna a gwnâi i'r fath lwyddiant yn y dosbarthiadau lu a fu o dan ei ofal. Rhoes llawer o'i sylw i feddyleg, ac ymhyfrydai yn ei chymhwyso at reidiau'r pregethwr.[86]

Gwnaeth hynny yn ystod yr Ail Ryfel Byd trwy droi ei sylw at 'Achosion Rhyfel, a'u Symud' yn y gyfrol heddychol, *Ffordd Tangnefedd*.[87] Ceir adran ar 'Achosion Seicolegol' rhyfel yn yr ysgrif hon, a dadleua bod 'seicoleg ddiweddar', yn arbennig 'y ddysgeidiaeth fodern am *y diymwybod'* wedi gwneud cyfraniad enfawr i egluro cymhellion yr unigolion a'i cefnogai.[88] Awgrymir yn ei ddisgrifiad o syniadau Freud a Jung ynglŷn â'r anymwybod bod eu dysgeidiaeth wedi cael ei dderbyn yn lled gyffredinol erbyn yr 1940au: 'Dysgir ni gan Freud a Jung a seicolegwyr cyffelyb fod dyfnderoedd tywyll afreolaidd ac anwar yn perthyn i enaid *(psyche)* neu bersonoliaeth pob dyn, a bod nwydau grymus ar waith yn barhaus yn nyfnderoedd diymwybod yr enaid yn ceisio llwybr i'r wyneb i'r byd ymwybodol.'[89] Roedd amgylchiadau rhyfel wedi agor y drws i'r nwydau gwyllt hyn, a daeth dwy yn arbennig i'r wyneb, meddai: 'sef (i) tuedd i ddinistrio a bod yn greulon *(Sadism)*, a (ii) tuedd i ymhyfrydu mewn dioddef a derbyn sarhad gan bobl eraill *(Masochism)'*.[90] Pwysleisiodd nad creu'r nwydau hyn a wnaeth y rhyfel ond dod â hwy i'r golwg a'u rhyddhau. Creu ac annog cyfleoedd 'i hunan-fynegiant' yw'r ateb mae'n gynnig yn ei gasgliadau i oresgyn apêl rhyfel, yn seicolegol a chymdeithasol. 'Yr wyf yn gwbl argyhoeddedig', meddai, 'na ddifodir rhyfel nes llwydder i wneuthur bywyd bob dydd cyfnod heddwch yn fwy diddorol ac amrywiol ac anturiaethus, yn arbennig i'r ifanc.'[91] Fel y meddyg Trefor Jones, roedd Richards yn awyddus fel gweinidog i wneud defnydd o genadwri'r seicoleg newydd er mwyn cynorthwyo a gwella bywydau'r genhedlaeth ifanc yn fwyaf penodol.

Meddyg teuluol arall oedd un o'r lleisiau newydd mwyaf diddorol i drafod syniadau Jung yn ei ysgrifau wedi'r Ail Ryfel Byd, sef Glyn Penrhyn Jones. Mae'n nodi yn ei ysgrif 'Gwrando'r Lleisiau Dieithr' yn *Y Drysorfa* yn 1950 mai'r unig feirniaid llenyddol Cymraeg hyd hynny i drafod syniadau Freud oedd Saunders Lewis yn ei gyfrol arloesol ar Williams Pantycelyn a'r radical ifanc D. Tecwyn Lloyd yn ei *Erthyglau Beirniadol*, a gyhoeddwyd yn 1946.[92] Ond syniadau Carl Jung sy'n derbyn clod mwyaf diamwys Jones yn yr ysgrif hon:

Gwnaeth C. G. Jung fwy o degwch na'r un i faint a dyfnder y profiad dynol, a haedda'i waith sylw ac astudiaeth yn ein gwerthfawrogiad o gamp celfyddyd. Yr un yn y pen draw yw ei Isymwybod Cyffredinol ef ag Awen y bardd Cymraeg. Dyma'r rhan o'r Isymwybod Unigol (*'The Individual Unconscious'*) sydd yn etifedd i bawb. Agweddau

arno yw cerddoriaeth, a'n crefft, a'n cynghanedd. Hon yw 'bardd-
oniaeth bur' a thuag ati y cyrraedd uchel amcanion pob bardd. Yn
ôl dysgeidiaeth Jung symbolau yw ein celfyddyd (*Art*) i gyd.'[93]

Adlewyrchiad o gynnwys yr isymwybod cyffredinol cyfoes yw
llenyddiaeth pob cyfnod, dadleua yn yr ysgrif hon, yn dilyn athraw-
iaeth Jung, a sylwa mai 'cyfnod y myfiaeth, y mewnplygrwydd,
yr ymarsyllu' yw'r un presennol yng Nghymru, gan nodi gwaith
T. H. Parry-Williams, Caradog Prichard a Gwenallt fel enghreifft-
iau.[94] 'T. H. Parry-Williams' meddai, o ganlyniad, 'yw'r bardd
scitsoffrenig cyntaf yng Nghymru ddiweddar'.[95]

Daeth seicdreiddiad i sylw'r llawfeddyg Griffith Evans hefyd
yn *Y Drysorfa* dwy flynedd yn ddiweddarach yn ei erthygl ar
'Iechydwriaeth ac Iechyd'. Gorchfygu'r hunan, yn hytrach na'i
fawrygu, yw'r trywydd y dylid ei gymryd o safbwynt Cristnogol
Evans gan mai: 'Yr hunan yw'r rhagfur rhyngom ag ewyllys a
chariad Duw, a rhyngom hefyd ag ewyllys a lles ein brawd. Ystyr
dwyn y Groes ydy ymwadu â hunan yn y ddau gylch.'[96] Cyffesu
o flaen Duw y dylid gwneud felly, nid yng nghell y seicdreiddiwr.
Mae'n cydnabod, serch hynny, bod yr amcan seicdreiddiol o annog
claf i amlygu 'holl ddirgelion ei is-ymwybod' yn un pwysig oher-
wydd 'oni ddaw yr anwiredd cudd i'r golwg, pery yr anhwyldeb
yn y meddwl gyda'i holl effeithiau ar y corff'.[97]

Ceir yr ymdriniaeth fwyaf deallus â gwaith Jung yn y cyfnod
hwn, serch hynny, mewn man annisgwyl efallai, sef cylchgrawn
yr Eglwys Gatholig yng Nghymru yn 1954. Yn ysgrif J. E. Daniel
ar 'Duw a'r Anymwybod', croesawir a chanmolir syniadau Jung
gan iddo, yn bennaf, ddangos nad oedd darganfyddiadau'r seicoleg
newydd ynglŷn â'r anymwybod o reidrwydd yn elyniaethus i
grefydd.[98] Yn wahanol i ddarlun Freud o grefydd fel rhith peryglus
a niweidiol, 'gesyd Jung ar y llaw arall werth digyffelyb ar grefydd
a'i golygu yn allwedd i iechyd llawn y meddwl'.[99] Gwnaeth hynny'n
bennaf trwy ei gysyniad allweddol o'r anymwybod torfol, a rhydd
Daniel ddisgrifiad arbennig o'i nodweddion. Mae'n casglu ar
ddiwedd ei ysgrif: 'Nid ofni seicoleg fel hon a ddylem ond ei
chroesawu, ac edifarhau ein bod erioed wedi'n temtio i beidio â
gweled ôl y llaw ddwyfol ar ei weithredoedd yn yr enaid dynol.'[100]

Cyfeiriwyd at un o weithiau diweddaraf 'Dr Jung o Zurich' yn erthygl J. T. Jones ar Williams Pantycelyn i'r *Drysorfa* ychydig flynyddoedd ynghynt. Wrth nodi gwerth 'Y Meddwl Modern mewn Ymchwil am Enaid' i grefyddwyr, cyfieithodd Jones un o'r datganiadau enwocaf a wnaeth Jung yn y gyfrol honno:

Ymhlith yr holl bobl dros bymtheg ar hugain oed a ddaw ataf i geisio iachâd, nid oes yr un na ellir dywedyd amdano mai ei brif broblem yn y pen draw yw ennill rhagolwg grefyddol ar fywyd. Y mae'n ddiogel dywedyd fod pob un ohonynt wedi syrthio i afiechyd trwy golli yr hyn y mae'r crefyddau mawr ymhob oes wedi ei roddi i'w credinwyr, ac ni lwyr iachawyd yr un o'r cleifion hyn heb iddo'n gyntaf adennill ei ragolwg grefyddol.[101]

Ceir cyfieithiad o frawddeg arall bwysig o'r un gyfrol, sef disgrfiad cryno Jung o'r anymwybod cyffredinol, yn erthygl Glyn Lewis, 'Freud a Llenyddiaeth', ar gyfer *Efrydiau Athronyddol* y flwyddyn olynol: 'Ceir yn yr anymwybod cyffredinol hwn sefydliadau a ffurf sydd yr un ymhob person.'[102] Cyfeiriodd Alwyn D. Rees yntau at ddarllen llyfrau diweddaraf Jung yn ei gyfrol *Adfeilion* yn 1943, a rhestrir *Modern Man in Search of a Soul* yn ei lyfryddiaeth ddethol.[103]

Mae'n amlwg felly bod deallusion Cymraeg nid yn unig yn darllen gweithiau Jung yn yr 1940au a'r 1950au ond hefyd yn eu hystyried yn ofalus o safbwynt eu gwerth mewn cyd-destun Cymreig. Rhydd D. V. Davies sylw i syniadau Jung ynglŷn â'r anymwybod cyffredinol yn ei erthygl 'Seicoleg Crefydd a'r Meddwl Annormal', er enghraifft, eto i'r *Efrydiau Athronyddol* yn 1957.[104] Anghytuna Davies â un o egwyddorion hanfodol Freud mai creadigaeth y meddwl dynol yw'r syniad o Dduw, a hefyd â syniad Jung mai yn yr anymwybod cyffredinol y ceir ei darddiad. Ond fel yn achos y mwyafrif helaeth o ymdriniaethau yn y Gymraeg â'u syniadau, dengys mai hybu agwedd mwy cydymdeimladol a thosturiol tuag at unigolion sy'n dioddef o anhwylderau seicolegol a wnaeth gwaith y ddau arloeswr o Fienna a Zurich drwy ddatgan ein bod oll yn rhannu'r un cyneddfau anymwybodol ac yn arddangos rhai nodweddion niwrotig yn ein hymddygiad: 'Wrth ymwneud â phobl sydd â thuedd tuag at y nodweddion

sgitsoffrenaidd, gelyniaethus, niwrotig, neu deimladwy', casglodd
Davies, felly, 'yr agwedd orau yw honno sy'n dangos cyfeillgarwch,
cydymdeimlad, a pharodrwydd i wrando ar eu cwyn'.[105] Parhaodd
â'i ddehongliad ddeallus o waith Jung yn ei ysgrif 'Symbolau
mewn Seicoleg' i'r un cyfnodolyn yn 1963.[106]
Ceir yr un pwyslais ar dderbyn a cheisio deall problemau seico-
legol unigolion yng ngolau dysgeidiaeth Jung yn ysgrif y diwinydd
Harri Williams – ffigwr a wnaeth gyfraniad hollbwysig i'r drafod-
aeth ynghylch dirfodaeth yn y Gymraeg, ac y dychwelwn ato ym
mhennod 3 – i'r *Drysorfa* yn 1961. Yn 'Jung a'r Enaid', tanlinellir y
pwysigrwydd â rydd ar 'dderbyn pechadur' yn ei waith; pwyslais
a ddatblygodd y diwinydd dirfodol Paul Tillich yn y cyfnod wedi'r
rhyfel. Golygai hynny o ganlyniad:

> Y mae'n rhaid i weinidogion ddysgu derbyn y claf pechadurus fel
> y mae, cyn y gall wneud dim a fydd yn gymorth iddo wella, gan
> gofio geiriau'r Iesu wrth y wraig honno a ddaliwyd mewn godineb:
> 'Nid wyf innau yn dy gondemnio. Dos ac na phecha mwyach.' Ni
> allwn wneud dim drwy gondemnio. Gormesu a wna condemnio,
> ac nid rhyddhau.[107]

Mae'n nodi, ymhellach, i Jung ddangos yr effaith ddinistriol gallasai
euogrwydd a phryder am eu pechodau tybiedig gael ar unigolion
o'u cadw i'w hunain, a pha mor fuddiol ar y llaw arall oedd y
broses o'u cyffesu a'u rhannu, yn arbennig os nad oedd condemniad
pellach yn dilyn. Roedd Jung hefyd, yn ôl Williams, trwy gyfrolau
pwysig fel 'Y Dyn Modern mewn Ymchwil am Enaid' wedi cyf-
rannu'n sylweddol at y dadansoddiad o argyfwng ysbrydol a
seicolegol dynoliaeth yn yr ugeinfed ganrif; argyfwng y ceisiodd
ef, J. R. Jones a nifer o ddeallusion eraill ei ddadansoddi o safbwynt
Cymraeg.[108]
Mewn adolygiad o'r gyfrol, *Christian Essays in Psychiatry*, i'r
Traethodydd yn 1957, dadleuodd Williams fod seicoleg ddiweddar
yn gyffredinol wedi ategu 'pwyslais parhaus yr Efengyl ar gyffes,
edifeirwch a maddeuant pechodau fel amodau iechyd ysbrydol',
a chynghorodd gweinidogion i wneud defnydd ymarferol o wybod-
aeth seicolegol yn eu gwaith bugeiliol.[109] Cawn awgrym diddorol

o'r math o dechnegau seiciatryddol oedd yn dderbyniol yn yr 1950au yn ei gyfeiriad at y cyflwr o *psychotic depression*, a'r gred gyfoes ei fod yn 'ymateb yn dda i driniaeth drydanol', yn hytrach na thriniaeth seicolegol.[110] Ceir dadansoddiad llawn a goleuedig o syniadau Jung yng nghyfrol y seiciatrydd clinigol Eurfyl Jones ar ei waith yng nghyfres 'Y Meddwl Modern'. Dywed yn rhagair y gyfrol iddo ddefnyddio cyfuniad o syniadau Jung, Freud ac Adler a rhai dirfodaeth yn ei waith pob dydd yn ardal Caerfyrddin yn y cyfnod wedi'r Ail Ryfel Byd; enghraifft ddiddorol o'u heffaith ymarferol, yn ogystal â deallusol, yng Nghymru.[111]

Gwelwyd yn y bennod hon sut yr ymatebodd amrywiaeth o awduron Cymraeg yng nghylchgronau academaidd a chyfresi poblogaidd y cyfnod yn adeiladol a chreadigol i syniadau prif arloeswyr y feddyleg newydd a seicdreiddiad yn y degawdau rhwng yr 1920au a'r 1960au. Llwyddwyd i gyfleu a chymhathu syniadau Freud a Jung yn bennaf mewn ffyrdd gwreiddiol a ehangodd y disgwrs deallusol Cymraeg i gyfeiriadau newydd yn y cyfnod hwn, gyda'r pwyslais yn aml ar wneud defnydd ymarferol o'u syniadau yng nghyd-destun bywydau crefyddol a seicolegol unigolion. Prin iawn yw'r dystiolaeth o unrhyw gondemniad neu gollfarnu o'r wyddor newydd yng ngwasg enwadol y cyfnod, er ei fod wedi herio cynifer o gredoau ac egwyddorion crefyddol sylfaenol. Ymagwedd fwy agored a pharod i ystyried peth o'i sythwelediadau a ddatgelir, i'r gwrthwyneb, yn ysgrifau Harri Williams, Miall Edwards ac amryw o awduron diwinyddol Cymraeg eraill, fel yn achos eu cymheiriaid athronyddol. Yn hynny o beth, mae eu parodrwydd amlwg i wrando ar leisiau newydd, heriol o'r tu hwnt i Gymru ac i geisio cymhathu eu cenadwri at anghenion a dibenion y diwylliant Cymraeg yn parhau'n esiampl ac yn ysbrydoliaeth bwysig heddiw. Mae'n sylw yn troi yn y bennod nesaf at ymateb llai uniongyrchol, ond amrywiol ac arwyddocaol tu hwnt, llenorion Cymraeg yr un cyfnod i syniadau a theorïau'r seicoleg newydd.

2

Tywyll Heno? Ymatebion Llenorion Cymraeg i Seicdreiddiad

Pwynt arwyddocaol ac awgrymog am lawer o lenorion Cymraeg mwyaf adnabyddus y cyfnod sydd dan sylw yn y gyfrol hon yw iddynt ddioddef o ryw gyflwr seicolegol andwyol eu hunain: iselder yn achos Caradog Prichard, Kate Roberts a Waldo Williams; ac anhwylder gorfodaeth obsesiynol yn achos T. H. Parry-Williams.[1] Gellir dadlau bod y gwahanol fathau o niwrosis hyn, i ryw raddau o leiaf, yn gynnyrch amgylchiadau hanesyddol a gwleidyddol penodol Cymru yn negawdau canol yr ugeinfed ganrif, yn dilyn erchyllterau'r rhyfeloedd byd. Roeddynt yn adlewyrchu argyfwng a fyddai nifer o awduron blaenllaw Cymraeg yn ceisio ei ddadan-soddi yn eu gwaith, fel y gwelwn yn y bennod nesaf, gan addasu a datblygu syniadau amryw o ddeallusion rhyngwladol oedd yn trafod argyfwng y ddynoliaeth yn fwy cyffredinol yn yr un cyfnod yn y broses.

Dadansoddwyd effeithiau seicolegol sefyllfa hanesyddol a chref-yddol benodol y Cymry yn fwyaf manwl a threiddgar yng ngwaith J. R. Jones, a neilltuir y bennod olaf i astudio ei syniadau yn y cyd-destun arbennig hwnnw. Ceisir dangos yn y bennod hon fod arwyddocâd cyfoes pwysig i'r cyswllt clir yng ngwaith Kate Roberts, Elena Puw Morgan ac eraill rhwng amgylchiadau cymdeithasol eu cymeriadau a'u hiechyd meddwl. Gellir dadlau yn sicr fod y cynnydd sylweddol mewn iselder ysbryd a chyflyrau eraill, fel gorbryder cymdeithasol, yn ganlyniad i ffactorau penodol yn ein cymdeithas gyfoes. Nid yw hynny'n tanseilio neu'n annilysu gwerth syniadau Freud ynglŷn â'r anymwybod; yn wir fe'u hatgyfnerthir i raddau gan y ffaith bod amryw o'r gwir resymau am y cyflyrau hyn yn cuddio yn yr anymwybod, tu hwnt i'n meddwl ymwybodol o ddydd i ddydd. Dod â hwy i'r golwg yw'r angen heddiw, fel yn nydd Freud ei hun. Gobeithir amlygu yn y bennod hon sut y gwnaeth llenorion Cymraeg ddefnydd o syniadau Freud a seicoleg yn fwy cyffredinol i leddfu eu niwrosis arbennig eu hunain a goleuo'r berthynas rhyngddynt a'u cymdeithas yn y broses.

Rhydd D. Tecwyn Lloyd ddisgrifiad gwych o'r newid a nod-weddai llenyddiaeth Gymraeg yn yr 1920au mewn ysgrif ar 'Llenyddiaeth a Bywyd' yn ei gyfrol arloesol o *Erthyglau Beirniadol* – un arall o gyhoeddiadau'r Clwb Llyfrau Cymreig – a gyhoeddwyd yn 1946:

> Ac ym marddoniaeth Gymraeg yr ail-degau, nid swydd y bardd mwyach oedd canu i athrawiaethau a sefydliadau'r hen gadernid, eithr canu ei wrthryfel personol ei hun, dysgu athrawiaeth y chwerwder a'r siomiant a brofodd ef ei hun – 'dysgaf am haul yn disgyn', os caniateir imi hepgor un sillgoll o'r llinell, oedd ei waith. Ac o hyn, gan ymledu i ryddiaith hefyd, tyfodd y syniad nad peth er mwyn bywyd y gymdeithas a fu ac a ddinistriwyd ydoedd celfyddyd, ond cyfrwng i'r awdur unig; moddion, llwyfan, cyfle iddo ef ei draethu ei hunan allan, heb lawer o bwys am y gynnulleidfa.[2]

Roedd y pwyslais newydd ar yr hunan yng ngwaith beirdd y cyfnod yn ganlyniad, yn rhannol, i chwalfa'r Rhyfel Byd Cyntaf a'r modd y cwestiynwyd gwerthoedd crefyddol yn ei sgil, gan eu harwain i ganfod rhai newydd drostynt eu hunain: 'fe welsant na ellid dychwel i'r hen safonau, ac fe droesant i mewn iddynt eu hunain i chwilio am rai newydd'.[3] Arweiniodd hynny yn ei dro at sylw cynyddol yng ngwaith beirniaid llenyddol y cyfnod 'ar yr unigolyn, profiad yr enaid unig, unigedd, etc.', ac roedd dylanwad seicdreiddiaeth yn rhan o'r duedd hon.[4] Er ei fod yn crybwyll dylanwad syniadau Freud, mae hefyd yn amau eu newydd-deb: 'canys ymhob cyfnod o chwalu ac anghredu hen gymdeithas a safonau y mae hunan-ymholiad ac unigedd ysbryd yn dilyn bob amser'.[5]

Mae'n datblygu ei ddamcaniaeth ynglŷn â'r cyswllt rhwng seicdreiddiaeth a llenyddiaeth yn ei ysgrif ar 'James Joyce a Datblygiad Llenyddol' yn yr un cyfrol. Disgrifia ddatblygiad y 'nofel seicolegol' Gymraeg, gan nodi effaith syniadau Freud trwy amlygrwydd cynyddol techneg llif yr ymwybod. Er bod arwyddion yn nofelau Daniel Owen o bwyslais y nofel seicolegol ar yr 'ymgiprys mewnol sy'n digwydd ym meddwl ac ysbryd y cymeriad ei hun', yn hytrach nag effeithiau ei amgylchfyd arno, nofel E. Tegla Davies, *Gŵr Pen y Bryn*, oedd y cyntaf yn nhyb Tecwyn Lloyd i wneud defnydd llawn o'i thechnegau newydd.[6] Erbyn yr 1940au roedd y nofel seicolegol Gymraeg 'yn beth cyffredin a nodwedd pob un ohonynt ydyw mai oddi mewn i'r prif gymeriadau ac nid oddi allan iddo y digwydd y stormydd ac ing y praw'.[7] Yn rhannol oherwydd dylanwad syniadau Freud ynglŷn â'r anymwybod a'i reolaeth dros y meddwl ymwybodol, canolbwyntiwyd yn gynyddol yn y nofelau hyn ar brofiadau mewnol un neu ddau gymeriad, yn hytrach na cheisio darlunio ystod o ddigwyddiadau neu gymeriadau.

Yn yr ysgrif sy'n dilyn, sef 'Datblygiad Llenyddiaeth', datblyga Lloyd ei ymdriniaeth â Freudiaeth mewn modd sy'n gwireddu'r nod y cyfeirir ati yn gynharach yn y gyfrol i '[f]anteisio ar bob gwybodaeth bosibl sydd gan y byd i'w chynnig inni, ei gyfieithu i'r Gymraeg, a'i addasu, os yw'n dda, i'n bywyd ein hunain'.[8] Dywed fod dyletswydd ar awduron Cymraeg i wneud hynny mewn ymateb i ddadl Iorwerth Peate y dylid cyhoeddi llyfrau ar rai materion Cymreig yn Saesneg er mwyn cynyddu dealltwriaeth gweddill y byd ohonynt.[9] Roedd penderfyniad Lloyd i drosi syniadau fel rhai Freud i'r Gymraeg yn nodweddiadol o'i gyd-awduron yn y cyfnod hwn; ffaith sy'n cael ei adlewyrchu yng nghynnwys amrywiol y llyfrau eraill yng nghyfres y Clwb Llyfrau Cymreig a chyfresi eraill cyfoes fel Llyfrau Pawb. Dod â'r byd a'i syniadau i Gymru a gwneud defnydd ymarferol ohonynt mewn cyd-destun Cymreig oedd blaenoriaeth awduron Cymraeg y cyfnod, yn gyffredinol, nid egluro'r diwylliant Cymraeg i'r byd tu hwnt i'w ffiniau.

Yn ei ysgrif ar 'Datblygiad Llenyddiaeth', er enghraifft, mae Lloyd yn cynnig dehongliad ei hun o'r cysyniadau Freudaidd canolog, fel yr ego a'r id:

Y *libido*, egni creadigol; yr *id*, nerth dall y nwydau – dyma'r nerthoedd mawr sydd yng nghraidd personoliaeth dyn. Eithr uwchben yr egnïon

hyn, yn eu rheoli a'u ffrwyno pan fo dyn yn effro y mae'r superego
– y gydwybod sy'n atal penrhyddid yr *id* a'r *libido*. Esboniodd Freud
y *superego* fel y gallu sy'n creu atalnwydau a niwrosis; mewn gair,
rhoes bwyslais ar lacio'r gydwybod er mwyn 'tynnu'r plets', chwedl
Philip Jones, allan o bersonoliaeth y dioddefydd.[10]

Fel amryw o'r awduron Cymraeg y cyfeiriwyd atynt yn y bennod
gyntaf, mae'n dadlau i Freud bwysleisio rhan ganolog dyrchafiad
(*sublimation*) yn y broses o sicrhau iechyd seicolegol trwy 'sianelu'r
nwydau caeth a ryddheid i gyfeiriadau cynhyrchiol a chadarn-
haol'.[11] Ond rhybuddia hefyd fod pwyslais Freud ei hun ar ddyrch-
afiad wedi cael ei golli a'i anghofio ym mwyafrif llenyddiaeth a
chelfyddyd ei gyfnod, fel gwaith y swrrealwyr, gyda'u parodrwydd
i ryddhau'r nwydau a chynnwys digyswllt, afresymol yr an-
ymwybod.[12]

Ychydig flynyddoedd yn ddiweddarach, cynigiwyd ymdriniaeth
fwy estynedig o'r berthynas rhwng 'Freud a Llenyddiaeth' yn
erthygl Glyn Lewis i rifyn 1949 o'r *Efrydiau Athronyddol*.[13] Gwir-
edda'r ysgrif hon yr un nod a osodwyd yn erthyglau Tecwyn Lloyd
i drosi ac addasu syniadau cyfandirol i'r Gymraeg, a gwneir hynny
yn llythrennol yn yr achos hwn trwy gyfieithu dyfyniadau perth-
nasol o lyfrau Freud fel ei *Introductory Lectures*, ynghyd â rhai
cyfatebol o waith Adler a Jung. Dyfynnir yn bwrpasol, er enghraifft,
ddisgrifiad Adler o'r modd yr arweinia'r cymhleth israddoldeb,
a oedd yn rhan mor ganolog o'i theori seicdreiddiol, yn anochel
at chwant am awdurdod a grym dros eraill. 'Gellir esbonio', yng
ngeiriau Adler, felly, 'bob nerfwst fel ymgais i gael rhyddid oddi
wrth y teimlad o wyleidd-dra . . . Ymdrech ddwys yn erbyn ewyllys
arall a phob dylanwad estron, fel o ganlyniad, mynn fod ei ewyllys
ef ei hun yn gysegredig ac yn anorchfygol.'[14]

Mae'n werth nodi i Gymry fel Glyn Lewis a ymddiddorai mewn
seicoleg gael cyfle i glywed Adler yn trafod ei waith pan ddaeth i
Gaerdydd yn 1936, blwyddyn cyn ei farwolaeth, i roi darlith yng
Ngholeg y Brifysgol. Cyrhaeddodd ei drên o Lundain yn hwyr;
profiad cyfarwydd i deithwyr heddiw fel yn yr 1930au. Ond bu'r
ddarlith o flaen neuadd orlawn yn llwyddiant, ac wedi ymweliad
ag ysbyty meddwl Caerdydd y bore canlynol, cynhaliwyd noson

i'w anrhydeddu yn enw maer y ddinas.[15] Dadl Glyn Lewis yn gyffredinol yw y gall seicoleg fod o gymorth wrth ddadansoddi gweithiau llenyddol a cheisio eu deall trwy ddatgelu cymhellion eu hawduron, ac yn bennaf oll eu natur gymhleth, anymwybodol. Rhydd enghreifftiau o ddylanwad ataliad ar waith beirdd fel A. E. Housman a Gerald Manley Hopkins i gefnogi ei ddadl. Mae'n casglu fod barddoniaeth a gweithiau llenyddol eraill yn fynegiant iach o ysgogiadau a nerthoedd anymwybodol a allai, o'u cadw dan glo, arwain at broblemau seicolegol pellach.[16]

Yn yr un flwyddyn, galwodd Gareth Alban Davies yn *Y Fflam* – cylchgrawn a olygwyd gan ddau o lenorion ifanc eraill mwyaf disglair ac eangfrydig y cyfnod, sef Pennar Davies a J. Gwyn Griffiths – am y defnydd o sythwelediadau seicoleg mewn llenyddiaeth Gymraeg, ond nododd hefyd mai ychydig iawn o nofelwyr a beirdd oedd wedi manteisio ar y cyfle i wneud hynny:

> Y mae chwyldroad meddyliol bob amser yn golygu'r ymdrech hon at gymhwyso'r syniadaeth newydd i ofynion y llenor, ac ni allwn ninnau yng Nghymru, fwy na mewn unrhyw wlad Ewropeaidd arall, osgoi pwysigrwydd seicoleg a method seicoleg fel deunydd llenyddiaeth. Yr unig arloeswyr yng Nghymru hyd yn hyn yw Saunders Lewis, John Gwilym Jones, ac ar raddfa lai, Kate Bosse-Griffiths.[17]

Sylwodd, ymhellach, fod ymhél â syniadau seicoleg a Freud trwy weithiau llenyddol yn arwain yn anorfod at drafod rhyw o'u mewn; ffaith oedd wedi cynddeiriogi beirniaid gweithiau fel *Y Goeden Eirin* gan John Gwilym Jones. Er iddo ganmol Saunders Lewis am fentro ymdrin â'r pwnc yn ei nofel *Monica*, cyfeiria hefyd at 'orfoesoldeb yr ymdriniaeth', a daw i'r casgliad fod 'Piwritaniaeth Cymru yn gomedd inni ymwneud yn iachus â rhyw mewn llenyddiaeth.'[18] Syniadau Freud a'r seicdreiddwyr eraill yn sicr oedd un o'r dylanwadau pwysicaf a arweiniodd at ymdriniaeth fwy onest ac agored â rhyw yn y Gymraeg o'r 1930au ymlaen, o dan arweiniad Saunders Lewis ac ambell arloeswr arall.

Gwelir arwyddion o ddylanwad Freud yng ngwaith bardd a beirniad ifanc arall o'r un cyfnod sef Aneirin Talfan Davies, neu

Aneirin ap Talfan, i ddefnyddio'i enw barddol. Fe'i hyfforddwyd fel fferyllydd yn wreiddiol, ond daeth yr yrfa honno i ddiwedd disymwth pan ddinistriwyd ei fferyllfa yn Abertawe gan fomiau'r Natsïaid yn 1941. Cychwynnodd gyfres bwysig Llyfrau'r Dryw gyda'i frawd Alun yn yr un blwyddyn, fel y gwelwyd ym mhennod 1, yn ogystal â chynnig cyfleoedd i'r beirdd newydd, ifanc gyhoeddi eu gwaith trwy olygu'r cylchgrawn arbrofol *Heddiw* rhwng 1936 ac 1942. Cyhoeddodd gyfrol arloesol a ddiddorol tu hwnt o feirniadaeth lenyddol ar waith James Joyce, *Yr Alltud*, yn 1944, a chyfeiriodd ynddi at yr ymateb i feiddgarwch Saunders Lewis, a'r duedd gyffredinol i ddilorni gweithiau a feiddiodd drafod rhywioldeb:

> Y mae'n rhyfedd mor barod y mae rhai pobl i gael eu cynhyrfu gan bethau y gwyddant o'r gorau amdanynt, ond i'r pethau hynny ymddangos mewn print. O'r hwyl a gafodd rhai o'r bobl hyn wrth ladd ar y nofel fach ddiniwed honno, *Monica*, ac heb weld mai un o wendidau'r gwaith hwn oedd pregethu gormod![19]

Er iddo gydnabod dylanwad syniadau Freud ar waith Joyce, serch hynny, collfernir ei ddilynwyr ffasiynol 'hetredocs' am lyncu'r meddylfryd seicdreiddiol yn rhy awyddus: 'Nid yw pechod yn eu poeni (O stâd fendigedig!) Collwyd y Groes yng ngwyllnos Epicuraidd clinigiau Freud. Am hynny ni ddeallant Joyce, nac amgyffred gwir arwyddocâd ei weithiau.'[20]

Roedd Davies yn awdur creadigol ei hun, yn ogystal â beirniad llenyddol, a chyfeirir at y feirniadaeth a dderbyniodd o du lleisiau mwy ceidwadol yn erthygl ddiddorol Nefydd Owen ar y 'Bugeiliaid Newydd' i gylchgrawn *Heddiw* yn 1940.[21] Davies ei hun, ynghyd â Dafydd Jenkins, oedd un o olygyddion y cylchgrawn mentrus hwn, fel y nodwyd eisoes, ac yn ysgrif Owen dadansoddir rhai o'r ffasiynau llenyddol newydd y ceisiodd roi llwyfan iddynt. Rhannai'r tueddiadau hyn, gan gynnwys yr hyn mae'n ei ddisgrifio fel 'surrealaeth', yr un pwyslais ar unigolyddiaeth a'r is-ymwybod, meddai:

> Gwyddys bod yr is-ymwybod yn chwarae rhan helaeth heddiw nid yn unig ym marddoniaeth rhai sy'n proffesu bod yn surrealyddion

cyflawn, ond ym marddoniaeth llawer o feirdd modern na phroff-esant unrhyw aistheteg arbennig. Nid yw'r cyfan namyn datblygiad o unigoliaeth; ymdrech i gofnodi'n fanylach weithrediadau'r *psyche* dynol.[22]

Disgrifia'r is-ymwybod fel 'darganfyddiad mawr y ganrif' wrth nodi'r duedd lenyddol gyfoes i geisio datgelu profiadau dyfnaf yr unigolyn. Roedd ambell fardd Cymraeg ifanc, fel Lòtta Rowlands ac Aneirin ap Talfan, wedi mentro i'r diriogaeth dywyll, gyffrous hon, ond beirniadwyd cerdd ap Talfan, 'Hunllef', am wneud hynny.[23] Casglodd Nefydd Owen mai 'proffwydi di-neges sy'n perthyn i'r *temps perdu*' oedd y beirniaid hyn, ac mae ei erthygl yn gyffredinol yn annog awduron Cymraeg i ddangos y beiddgarwch a'r hyder i'w herio.[24] Clodforodd un o'r awduron ifanc hynny, sef Gwilym R. Jones, cerdd ap Talfan ar y llaw arall mewn erthygl ar 'Y Canu Newydd' yn 1937 am fod y cyntaf 'i ddehongli yn Gymraeg feddyliau gwibiog ac annosbarthus yr isymwybod'.[25]

Tua'r un adeg a chyhoeddwyd *Heddiw*, dechreuwyd menter bwysig ac arloesol arall ym myd y cylchgronau Cymraeg gydag ymddangosiad *Tir Newydd* yn haf 1935. Myfyrwyr yng Ngholeg Prifysgol Cymru, Caerdydd oedd yn gyfrifol amdano, ac ad-lewyrchodd Alun Llywelyn-Williams, un o'r golygyddion, ar ei ddyddiau cynnar yn ei hunangofiant. Yn ogystal â rhoi sylw i'r celfyddydau gweledol o'r newydd, trafodwyd llenyddiaeth 'a'r nod amlycaf yn ei hachos hi', yn ôl Llywelyn-Williams, 'oedd agor ffenestri ar ddatblygiadau arwyddocaol mewn gwledydd eraill a hefyd ceisio sefydlu cyfathrach rhwng ymarferwyr y ddwy iaith yng Nghymru, rhwng y Cymry Cymraeg a'r Eingl-Gymry'.[26] Gwelir enghraifft ddiddorol o'r rhyngweithio hwn yn erthygl arloesol – mewn cyd-destun Cymraeg beth bynnag – Glyn Jones i'r cylch-grawn ar 'surrealistiaeth' yn 1937; awdur a ysgrifennai yn bennaf yn Saesneg.[27] Amlyga'r erthygl y diddordeb amlwg yn yr an-ymwybod a theorïau Freudaidd ar ei ran a fyddai'n datblygu mor ffrwythlon mewn nofelau fel *The Island of Apples* ar ôl yr Ail Ryfel Byd.[28] Rhybuddiodd, serch hynny, fod peryglon ynghlwm wrth ddibyniaeth y swrealwyr ar ddwyn ysbrydoliaeth o'r anymwybod. 'Mae derbyn geiriau, syniadau, troellau ymadrodd annisgwyliadwy o'r anwybod yn brofiad cyffredin i artistiaid creadigol', meddai, wrth ddod i'w gasgliadau, 'ond gan amlaf ni cheisia'r rhain weithredu yn unig, heb gyfeirio dim at brofiad neu at draddodiad'.[29]

Roedd un o'r beirdd ifanc a gyfeiriwyd ati yn ysgrif Nefydd Owen ar y 'Bugeiliaid Newydd' fel un a fentrodd i fyd yr anymwybod, sef Lotta Rowlands, hithau wedi cyhoeddi 'Dau ddarn surrealistig' o'i barddoniaeth i'r cylchgrawn yn 1937.[30] Ceir awgrymiadau diddorol o'r rhwystredigaethau deublyg a orfodir arni trwy ei safle fel Cymraes mewn cenedl ddiwladwriaeth yn yr ail o'r ddau ddarn:

> Ni cheir menyn heb ladd gwair
> wedi'r cwbl beth yw amcan cynghrair y
>   cenhedloedd
> beth yw amcan y blaid genedlaethol
> ceir bywyd gwell yng ngwersyll yr urdd
> waeth i ni heb â meddwl am y peth
> mae glannau'r môr yn llawn saeson
> gallwn droi ar ein sodlau oni wna'r tro
>   ni cheir menyn heb ladd gwair
> 'dyw ddim mor ddrwg ag y gallai fod
> gallwn ganu fel erioed
> gallwn gynnal eisteddfodau fel cynt
> rhaid wedi'r cwbl gael rhyw fath o drefn
> dywedant na ŵyr y merched ddim amdani
>   ni cheir menyn heb ladd gwair[31]

Bu *Heddiw* a *Tir Newydd* yn gyfryngau pwysig tu hwnt hefyd i awduron ifanc, fel Cyril Cule, fynegi eu gwrth-ffasgaeth yng nghysgod datblygiadau cyfoes yn Sbaen, yr Eidal a'r Almaen yn yr 1930au hwyr.[32] Yn yr un rhifyn â nodiadau Glyn Jones ar 'surrealistiaeth' yn 1937, er enghraifft, ceir llythyr J. Gwyn Griffiths i'r golygydd yn datgan ei wrthwynebiad tanbaid i'r cyhuddiadau o ffasgaeth a wnaed yn erbyn y Blaid Genedlaethol, ynghyd ag erthygl J. Williams Hughes ar 'Dolur Sbaen'.[33] Tanlinellodd Griffiths yn ei lythyr y modd yr amddiffynnwyd llywodraeth Sbaen yn erbyn ymosodiadau'r Ffasgwyr yn erthyglau Cyril Cule i bapur y Blaid Genedlaethol, *Y Ddraig Goch*, ac yng ngherddi beirdd Cymraeg fel Aneirin ap Talfan ac W. H. Reese.[34] Cyhoeddwyd *Tir Newydd* am bedair blynedd hyd nes ddechrau'r Ail Ryfel Byd gydag awduron nodedig fel Myrddin Lloyd, R. I. Aaron a J. E. Caerwyn Williams yn cyfrannu ysgrifau ac adolygiadau, ac yng ngeiriau'r golygydd: 'erys corff yr ysgrifau hyd heddiw'n ddrych gwerthfawr o gyflwr meddwl ac o ddelfrydiaeth y genhedlaeth ifanc cyn y rhyfel'.[35]

Daeth amryw o feirdd Cymraeg eraill y cyfnod o'r 1920au i'r 1950au yn drwm o dan ddylanwad seicoleg a seicdreiddiad, yn ogystal â'r llenorion ifainc fel Aneirin ap Talfan a gyfrannai at ddudalennau *Tir Newydd* a *Heddiw* yn rheolaidd. Cyfeirir at rymoedd yr anymwybod yng ngherdd hir Kitchener Davies, 'Ing Cenhedloedd', a gyhoeddwyd yng nghylchgrawn arbrofol *Y Fflam* yn 1946, er enghraifft:

Fel mynydd iâ â'i ddeuparth tan y dŵr
a'i draean uwchlaw'r cerrynt, di-ystŵr
    y treisia'r anymwybod cyfrwys, call,
sydd hŷn na'r deall, ar ymwybod gŵr.

Ni chaiff y rheswm clyfar wneud a fyn.
Caiff fod yn swch i'r aradr tan y chwyn;
    nid rhwng y cyrn yn tywys y mae lle
newyddian; arall ydyw'r we a'i tyn.[36]

Astudiaeth o seicoleg a meddwl yr unigolyn yw canolbwynt cerddi Caradog Prichard yn y cyfnod hwn hefyd, 'eithr dewisodd bob amser y meddwl claf', fel y nodwyd yn ysgrif ddiddorol Elsbeth Evans ar ei farddoniaeth yn 1942.[37] Mae'n dadlau, ymhellach, nad 'dadansoddi a chwilfrydedd oer dideimlad yr eneidegwr' a geir yn ei gerddi, ond portread cydymdeimladol o'r meddwl clwyfedig sy'n gwrthod tynnu'r llinell 'rhwng y gwallgof a'r gweledydd'.[38] Gwyddwn am ddiddordeb Prichard mewn seicoleg o'i hunangofiant ac astudiaeth arbennig Menna Baines o'i waith, ac mae'n arwyddocaol bod amryw o'r ysgolheigion Cymraeg a fu'n ymdrin â seicoleg Freudaidd yn y cyfnod hwn wedi gwrthod yn gynyddol i dynnu'r un llinell.[39] Dywed Idwal Jones, er enghraifft, yn ei ysgrif ar Freud i'r *Efrydiau Athronyddol*, yr astudiaeth fwyaf cyflawn a meistrolgar o'i syniadau yn y Gymraeg, bod 'tebygrwydd hanfodol rhwng adeiladwaith meddwl pobl normal ac annormal'.[40] Pwysleisiodd, ymhellach, bod y ddealltwriaeth newydd o'r tebygrwydd hwn, yn dilyn gwaith Freud, wedi arwain at agwedd mwy cydymdeimladol tuag at droseddwyr a'r cymhellion anymwybodol a yrrai eu hymddygiad.

Collfarnwyd Saunders Lewis gan Elsbeth Evans, serch hynny, am fentro dehongli cerddi Caradog Prichard yng ngolau syniadau Freud. 'Credwn mai afraid oedd i Mr Saunders Lewis', meddai, 'ddwyn i mewn seicoleg Sigmund Freud i gymhlethu pethau yn "Y Briodas: Dehongliad"'.[41] Yn nadansoddiad Lewis o'r gerdd, a gyhoeddwyd yn *Y Llenor* yn 1927, defnyddiodd derminoleg Freudaidd i ddadlau mai: 'Cynnen ydyw rhwng ewyllys ac atalnwyd, rhwng dewis annaturiol a dyheadau gwrthodedig.'[42] Saunders Lewis ei hun, wrth gwrs, oedd un o'r cyntaf i ymdrin â syniadau Freudaidd yn y Gymraeg – er bod ei arloesedd yn y maes hwn wedi cael ei or-ddweud yn gyffredinol, fe ellir dadlau – ac i wneud defnydd ohonynt fel beirniad llenyddol ac awdur creadigol.[43]

Eithr awdur rhyddiaith, yn hytrach na barddoniaeth, oedd y llenor Cymraeg i wneud y defnydd creadigol mwyaf arwyddocaol a phellgyrhaeddol o syniadau gwyddor seicoleg yn ystod y cyfnod dan sylw. Gwelir olion dylanwad Freud ar syniadau John Gwilym Jones trwy gydol ei yrfa hir fel awdur creadigol a beirniad llenyddol. Rhydd ddisgrifiad byw o effeithiau'r anymwybod ar lwybrau'r meddwl ymwybodol yn ei ysgrif ar 'Moderniaeth mewn Barddoniaeth', gan gadarnhau ei gred ym mhwysigrwydd dysgeidiaeth Freud yn y broses:

Oes gwyddor newydd yr isymwybod a'r anymwybod yw ein hoes ni. Pa faint bynnag o ffolinebau a gyflawnir yn ei henw – ac mae'r rheini'n lleng – ni fedr neb wadu y craidd cadarn o wirionedd sydd yn narganfyddiau Freud a'i ddilynwyr. Gwyddom o'r gorau fod yna ddigon o flaenoriaid o siopwyr yn codi ar eu traed yn y set fawr ac yn dweud, 'Annwyl frodyr a chwiorydd' ond yn meddwl 'Talwch eich dyledion imi'r cnafon anonest'. Gwyddom hefyd nad yw rheolau addasrwydd pethau a rhesymeg ddim yn gweithio yn ein dychymyg. Geill bwch gafr dynnu ein llun ni yn ein breuddwydion. Gwyddom o'r gorau hefyd bethau mor afresymegol o wibiog yw ein meddyliau. Un eiliad poeni am ein treth incwm a'r eiliad nesaf yn troedio'r lleuad.[44]

Cydnabuwyd pa mor arloesol oedd ymdriniaeth greadigol John Gwilym Jones â'r anymwybod mewn adolygiadau cyfoes o'i waith. Mae Hugh Bevan, er enghraifft, yn nodi'n werthfawrogol y cyswllt rhwng ei straeon byrion â syniadau Freud wrth adolygu ei gyfrol o straeon byrion, *Y Goeden Eirin*, i'r *Llenor* yn 1947, gan grybwyll wrth basio pa mor hwyrfrydig y bu awduron creadigol Cymraeg i wneud yr un cyswllt:

Diau i Mr Gwilym Jones elwa ar y seicoleg a gysylltir ag enw ar-swydus Freud a cheisio rhoi i'r Cymro anorffen yntau, yn hytrach yn hwyr yn y dydd efallai, isymwybod cyn ddyfned a chyn gyfoeth-oced â hwnnw a gloddesid eisoes ar ran y Gwyddel, y Ffrancwr, a'r Sais. Mynnodd, fodd bynnag, roi inni isymwybod y bu canrifoedd o faeth Cymraeg yn ei greu, un y mae ganddo gyfran o'r Iberiad ... a chyfran o'r Anghydffurfiwr Cymraeg (yn wleidyddol a chref-yddol); a chyfran o'r dinesydd cyfoes y mae ei ffenestri'n llawn agored ar y byd – o rywle yng Nghymru.[45]

Yn ôl adolygiad Joan Harding i'r un cyfnodolyn y flwyddyn ganlynol, nid John Gwilym Jones oedd yr unig awdur Cymraeg i ddod dan ddylanwad syniadau seicdreiddiol. Roedd casgliad cyfoes o straeon byrion wedi dangos 'nid oes amheuaeth nad ydym yn byw yng nghyfnod Freud'.[46] Yn y gyfrol honno, *O'r Newydd*, sy'n cynnwys straeon gan Elena Puw Morgan ac eraill 'dosrennir amcanion a chymhellion dynion â chyllell lem *psychoanalysis*,' meddai, 'a chodir i'r golwg ddirgel anogaethau o'r trobwll tywyll, tymhestlog sydd yn chwyrnellu o dan arwyneb ein hymddygiad rhesymol'.[47] Ond cyfyng ac annelwig yw dylanwad seicdreiddiad ar y straeon hyn, mewn gwirionedd, o'u cymharu â straeon John Gwilym Jones.

Ceir dehongliad gwerthfawr a gwahanol iawn o'r *Goeden Eirin* yn erthygl Cynan ar y gyfrol i *Lleufer*, cylchgrawn Cymdeithas Addysg y Gweithwyr.[48] O dan olygyddiaeth oleuedig David Thomas, un o hoelion wyth y gymdeithas honno a sosialaeth yng Nghymru'n gyffredinol yn y cyfnod dan sylw, cyfoethogwyd tudalennau *Lleufer* gydag ysgrifau ac adolygiadau awduron disglair fel Cynan, Alwyn Rees a Tecwyn Lloyd ar amrywiaeth eang o bynciau, gan gynnwys athroniaeth, addysg a gwyddoniaeth. Mae'r cylchgrawn yn enghraifft nodedig o ba mor fywiog ac uchelgeisiol oedd y wasg seciwlar Gymraeg, yn ogystal â'r wasg enwadol, rhwng yr 1920au a'r 1960au. Cynigia hefyd dystiolaeth werthfawr o'r awydd ymysg darllenwyr am ddeunydd heriol a gwmpasai'r ddysgeidiaeth ddiweddaraf o sawl maes, gan gynnwys seicoleg a seicdreiddiad.

Cymer erthygl Cynan i'r cylchgrawn ffurf adroddiad ar drafodaeth o'r *Goeden Eirin* yn un o ddosbarthiadau nos Cymdeithas Addysg y Gweithwyr. Dengys ei grynodeb o sylwadau aelodau'r dosbarth pa mor gyfarwydd oedd darllenwyr Cymraeg y cyfnod nid yn unig â nofelau awduron o du hwnt i Gymru ond hefyd â syniadau meddylwyr mawr y cyfnod fel Freud. Gofynnir i ffermwr a oedd yn aelod, er enghraifft, a wnaeth pwyslais un o straeon John Gwilym Jones ar gymhellion cudd y prif gymeriad ei 'siocio', a dywed mewn ymateb:

> A deud y gwir, naddo. Rydw i'n medru edmygu clyfrwch y ffrâm orffenedig – er mod i wedi gweld patrwm go debyg gan James Joyce, ac yng ngherdd Aneirin Talfan, 'Yr Angladd'. A chan fy mod i wedi dilyn dosbarth Seicoleg yn y pentre yma cyn dechrau ar ein Dosbarth Llenyddiaeth, nid yw'r dadleniadau ar beth a all fod mewn dyn, hyd yn oed pan fod wrth yr allor, yn peri imi gythruddo wrth yr awdur, fel y clywais fod rhai.[49]

Amlygir ymwybyddiaeth Jones o gysyniadau seicdreiddiol yn ei nofel fer gynharach, *Y Dewis*, a gyhoeddwyd yn 1939, lle darlunnir argyfwng Caleb Gruffudd, disgybl chweched dosbarth wrth iddo geisio dewis rhwng disgwyliadau ei deulu a'i uchelgais bersonol. Mae'n gymeriad petrus, di-asgwrn-cefn a dywedir 'yn wastad yn ei is ymwybyddiaeth, fel petai wedi cordeddu yno, yr oedd llwfrdra – ofn beth a ddywedai hwn a beth a feddyliai'r llall'.[50] Ildia i ofynion ei deulu a'i gymuned drwy ymuno â'r weinidogaeth ar derfyn y nofel, ond awgrymir yn arwyddocaol mai greddfau'r anymwybod sy'n llywio ei ddewisiadau, nid rheswm. Mae'n colli rheolaeth dros ei eiriau wrth bregethu yn y capel yn un o olygfeydd olaf y nofel, ond nid yw ei berfformiad gwyllt yn cythryblu ei gariad Nesta:

> canys gwyddai nad oedd ei saernïaeth reddfol ond megis mwsogl tew, gwydn, wedi tyfu'n benrhydd ar risglyn, yn ddigon lliwgar a phrydferth, ond yn pydru'r pren gyda'i grafanc a'i bryf. Aethost yn aberth i'th reddf heno, Caleb – carn-elyn dy reswm di – ac fe anwylaist eiriau i foddi o dy awch ddiwala am wneud strôc.[51]

Datgelodd Jones ddylanwad Freud ar ei waith creadigol yn ystod sgwrs gyda Saunders Lewis a gyhoeddwyd yn 1949:

> Y mae Freud a'i debyg wedi dadlennu fod gan bob un ohonom bwll diwaelod o isymwybod ac anymwybod, ac y'n gorfodir ni'n aml gan ogwyddiadau a chymhellion nad oes gennym reolaeth o gwbl arnyn nhw. Yn awr, yr wyf yn barod iawn, iawn i gydnabod y siaredir peth wmbreth o nonsens am y cymhellion cudd yma, ond nid nonsens yw'r cwbl. Ymddengys i mi fod unrhyw nofelydd bellach sy'n gwrthod ystyried y wybodaeth newydd yma, am fethu â rhoi portread crwn, gwir cyflawn, o gymeriad.[52]

Dengys, ymhellach, mai cynnig dehongliad penodol Gymraeg o'r broses o ddadansoddiad a hunan-ddadansoddiad sydd wrth wraidd seicdreiddiad oedd ei fwriad wrth ysgrifennu'r *Goeden Eirin*. 'Mae pobl ifanc ym mhob gwlad yn eu dadansoddi eu hunain,' meddai, 'ond yr oeddwn am i'm cymeriadau eu dadansoddi eu hunain fel Cymry wedi eu magu ar lenyddiaeth Cymru ac ym-neilltuaeth Cymru.'[53] Ond fel meddyliwr anuniongred ac anghon-fensiynol wrth reddf, gwrthododd lyncu'r ddysgeidiaeth Freudaidd yn ddi-gwestiwn, a mynegir ychydig o'i amheuon trwy eiriau un o'r cymeriadau yn *Y Goeden Eirin*. Pan ddywed Absalom wrth Enid yn y stori 'Cerrig y Rhyd' ei fod wedi ysgrifennu stori fer, mae'n ateb trwy fynegi ei gobaith 'bod yna blot iawn ynddi hi . . . 'Rydw i wedi hen flino ar y straeon yma heb gynllun ynddynt, sy'n synio bod syniad a dadansoddi *à la* Freud yn ddigon i greu llenyddiaeth.'[54] Cyfeirir at ba mor reolaidd y trafodwyd syniadau'r seicdreiddwyr ymhlith y dosbarth canol o fyfyrwyr a darlithwyr ym Mangor yr oedd Jones yn rhan ohono yn ystod stori arall yn y gyfrol, sy'n nodweddiadol hefyd o'r modd arloesol y defnyddiodd dechneg fodernaidd llif yr ymwybod yn ei weithiau creadigol. Yn 'Y Cymun' dilynwn feddyliau Meurig Lewis wrth iddo grwydro Dyffryn Ysig yn rhannol er mwyn dianc o'r siarad gwag a glywai'n feunyddiol yn y dref. Dywedir ei fod wedi 'hen flino ar daeru tragwyddol ei gyd-letywyr yn Ffordd y Coleg ynghylch sillafu Hebraeg a duwdod Iesu Grist a'u hunan-hyder trahaus yn dadansoddi cyflwr eu heneidiau yn ôl cyfarwyddyd Adler a Freud a hwy eu hunain'.[55] Dengys yr amwysedd hwn o ran ei deimladau ynglŷn â seicdreiddiad pa mor nodweddiadol o amheuon ac ansicrwydd ei genhedlaeth yw ei waith, fel y pwysleisia John Rowlands, y beirniad mwyaf craff a sensitif i'w ddadansoddi. 'Lladmerydd y Gymru Gymraeg anesmwyth, addysgol uchelgeisiol ac eto crefyddol ansicr, ingol hunanymwybodol ond cyndyn i ysgwyddo cyfrifoldeb,' ydyw, yn ôl Rowlands, 'yn ymhyfrydu yn y wefr o agor drysau'r byd modern ac eto'n swilio'n euog rhag mynd trwyddynt.'[56] Mae ei waith, o ganlyniad, yn gynrychioliadol o amharodrwydd ac anallu'r cenedlaethau iau yn y cyfnod dan sylw i ddal eu gafael ar y credoau crefyddol oedd wedi cynnal eu cyn-deidiaid ar un llaw, a'u parodrwydd i edrych ymhell tu hwnt i ffiniau Cymru am syniadau newydd i'w hysbrydoli ar y naill. Roedd ei ddiddordeb yng ngweithiau'r dirfodwyr, fel Jean-Paul Sartre a Simone de Beauvoir, yn nodweddiadol o'r duedd hon, fel y gwelwn yn y bennod nesaf.

Awdur ifanc Cymraeg arall a droediodd i diriogaeth newydd yr anymwybod yn yr un cyfnod oedd Gwilym R. Jones yn ei nofel fer *Y Purdan*.[57] Fflachiadau o isymwybod claf oedrannus ar ei wely angau a geir yn y nofel hon, a enillodd wobr y fedal ryddiaith yn Eisteddfod Genedlaethol Dinbych yn 1941; cymysgedd ymddangosiadol ddigyswllt o'i atgofion am ei ieuenctid. Wrth ddwyn yr atgofion hyn i'w feddwl, sylweddola Siôn William, hen lanc a phrif gymeriad y nofel, y gost mae ataliad wedi ei gymryd arno: 'Ond wele faich arall ar fy ysbryd – baich blysiau nas profwyd a'r cyfyngiadau a osodais yn gosb arnaf fy hun. Gwn erbyn hyn ei fod cyn drymed â'r bryn acw.'[58] Awgrymir beirniadaeth yr awdur o arferion a chyfyngiadau'r gymdeithas Anghydffurfiol, barchus, Gymraeg yn y cyfeiriad hwn at rwystredigaethau Siôn. Peryglon ataliad yw thema amlycaf y nofel fer hon: peryglon, fe awgrymir, yr oedd culni'r gymdeithas Anghydffurfiol Gymreig yn tueddu eu meithrin a'u gwaethygu.

Sylwid mewn adolygiad cyfoes o'r nofel mai golwg 'o'r tu mewn' a geir ar gymeriad Siôn William ynddi: 'cofnodir ei feddyliau, cudd, gwibiog, didrefn, dryslyd dan ddylanwad y dwymyn – y dyn yn ail-fyw ei fywyd'.[59] Mae ei lif ymwybod o atgofion ac argraffiadau yn enghraifft ddiddorol o'r modd y gwelir arwyddion cynyddol o ddylanwad ieithwedd a syniadau seicoleg yn arddull y nofel Gymraeg o'r 1920au hwyr ymlaen. Cyffyrddir ar y dylanwad hwn yn arolwg y cyfreithiwr a chenedlaetholwr amryddawn Dafydd Jenkins o'r nofel Gymraeg yn 1949. Haera i'r cyfnod rhwng 1927 ac 1943 weld newid agwedd ymhlith nofelwyr Cymraeg 'o ddiddordeb yn wyneb bywyd i ddiddordeb yn yr hyn sydd dan yr wyneb'.[60] Fel y dengys Jenkins, ar ôl i feiddgarwch portread Saunders Lewis o seicoleg a breuddwydion ei brif gymeriad yn ei nofel *Monica* agor y llif ddorau yn 1930, canolbwyntiodd awduron ifanc fel Gwilym R. Jones a John Gwilym Jones fwyfwy ar gofnodi bywydau mewnol, anymwybodol eu cymeriadau, yn hytrach na'r digwyddiadau allanol a'u heffeithiai.[61]

Adwaith, yn rhannol, yn erbyn culni agweddau o'r diwylliant Cymraeg oedd nofel feiddgar arall a gyhoeddwyd yn ystod yr Ail Ryfel Byd sy'n nodweddiadol, fel *Y Purdan*, o'r duedd uchod. Ond y tro hwn, yn arwyddocaol iawn, unigolyn a ddaeth i Gymru o ganol newidiadau enbyd gwleidyddol a diwylliannol Ewrop yr 1930au oedd ei hawdur, sef Kate Bosse-Griffiths. Stori merch ifanc sy'n symud o dde Cymru i fyw'n gyntaf yn Llundain ac wedi hynny ym Munich a geir yn *Anesmwyth Hoen*, a gyhoeddwyd fel rhan o gyfres newydd Llyfrau'r Dryw yn 1941, yn dilyn cyfrolau gan Ambrose Bebb, Nantlais, R. T. Jenkins ac eraill.[62] Adlewyrcha'r nofel ddiddordebau deallusol eang ac eclectig Bosse-Griffiths ei hun a'r cylch o lenorion a gyfarfu yn ei chartref hi a'i gŵr, J. Gwyn Griffiths, yn y Rhondda i drafod syniadau yn ystod y cyfnod hwn. Wrth edrych yn ôl ar eu gweithgareddau, cyfeiriodd un arall o aelodau Cylch Cadwgan, sef Pennar Davies, at eu hawydd i ymestyn ffiniau llenyddiaeth Gymraeg:

> Wel, roeddem ni gyd yn teimlo fod y byd yn eang iawn; ac er ein bod ni'n frwd iawn dros Gymru – yn caru Cymru'n fawr – roeddem ni yn teimlo hefyd fod llenyddiaeth Cymru wedi bod yn rhigolau'r gegin Gymreig yn rhy hir, a bod yn rhaid agor drysau'r byd i Gymru.[63]

Dychwelwn at ddiddordebau'r cylch yn y bennod nesaf, ond mae'n bwysig nodi yng nghyd-destun llenyddiaeth y cyfnod dan sylw bod bywiogrwydd a menter y grŵp wedi cynnig egni newydd i'r nofel a barddoniaeth Gymraeg ill dau. Gwelir ôl dylanwad y seicdreiddiad bu Kate Bosse-Griffiths yn dyst i'w ddatblygiad yn yr Almaen rhwng y rhyfeloedd yn ei nofel gyntaf trwy amryw o gyfeiriadau at nerthoedd yr anymwybod ac yn ei pharodrwydd yn gyffredinol i ymdrin â rhywioldeb yn gymharol agored.

Awgrymir y ddealltwriaeth newydd yr oedd dysgeidiaeth Freud wedi'i gynnig o'r haenau sy'n ffurfio'r bersonoliaeth ddynol yng ngeiriau cariad Megan, prif gymeriad *Anesmwyth Hoen*, wrth iddi ofidio am wisgo dillad ffansi i fynychu parti:

> Ofn y bydd pobl yn barnu oddi wrth eich gwisg beth yr hoffech chwi fod, ac y dônt i'ch adnabod yn well na chi'ch hunan. Welwch chi'n awr, ellwch chi ddim 'nabod ond darn bychan o'ch personoliaeth, gan fod y darn mwyaf yn guddiedig yn yr isymwybod. 'Rwyf yn edrych ymlaen at gael 'nabod yr ego arall a ddaw i'r golwg pan fyddwch wedi gwisgo fel rhywun arall.[64]

Yn ogystal ag adleisiau tebyg o syniadau Ewropeaidd blaengar eraill cyfoes, ceir blas o rychwant eang diddordebau Bosse-Griffiths trwy ddyfyniad o waith Lao Tse, bardd mwyaf y grefydd Tao, yn gynharach yn y nofel: 'Meddal a brau yw ffordd ein byw, / Grymus gref yw ffordd y bedd.'[65] Cyfrannodd ysgrif ar Lao Tse i fisolyn y Bedyddwyr yn yr un cyfnod, yn ogystal ag ysgrifau ar Henri Bergson ac Ernest Toller fel rhan o gyfres dan olygyddiaeth ei gŵr, J. Gwyn Griffiths, ar 'Broffwydi'r Ganrif Hon'. Cefnogodd golygydd *Seren Cymru* y gyfres hon, a gyhoeddwyd dros gyfnod o ddwy flynedd yn 1940 ac 1941, yn wresog, a chyfrannodd awduron fel Pennar Davies erthyglau ar feddylwyr mor amrywiol â Freud, Søren Kierkegaard, Gandhi, D. H. Lawrence a George Santayana; arwydd arall o ehangder a bywiogrwydd y wasg Gymraeg yn y cyfnod dan sylw.[66] Yn sicr roedd ei nofel gyntaf yn gyfraniad gwreiddiol a phwysig i ddatblygiad y nofel seicolegol Gymraeg, yn arbennig yn ei hymdriniaeth â bywydau menywod yn benodol. Fel y nododd adolygydd y cylchgrawn a fu'n llwyfan pwysig i waith Bosse-Griffiths a Chylch Cadwgan, 'dyma rywbeth newydd yn llenyddiaeth y Cymry'.[67]

Er mor newydd a beiddgar oedd nofel Bosse-Griffiths yng nghyddestun llenyddiaeth Gymraeg hyd at yr 1940au, fe ellir dadlau, serch hynny, mai *Y Graith* gan Elena Puw Morgan yw nofel seicolegol Gymraeg mwyaf grymus a chymhleth y cyfnod dan sylw.[68] Trydedd nofel awdures *Y Wisg Sidan* ydoedd a'r mwyaf arwyddocaol o ran ei sythweladiad seicolegol. Ganwyd Morgan yng Nghorwen yn 1900, ac enillodd *Y Graith* gystadleuaeth y fedal ryddiaith yn Eisteddfod Genedlaethol 1938, cyn cael ei chyhoeddi fel rhan o gyfres y Clwb Llyfrau Cymreig yn 1943. Roedd cartref hi a'i gŵr, y teiliwr a sosialydd John Morgan, yng Nghorwen yn ganolbwynt ar gyfer cylch o lenorion ac awduron yn yr 1930au. Ymhlith aelodau'r cylch yr oedd John Cowper Powys, un o lenorion Seisnig mwyaf cynhyrchiol a lliwgar y cyfnod, a drigai mewn tŷ bychan ger y dref. Daeth Iorwerth Peate yn ffrindiau gyda Powys hefyd wedi i Elena a'i gŵr ei annog i'w ymweld yn 1937.[69] Bu'r ddau'n llythyru'n gyson dros yr 20 mlynedd nesaf. Yn ogystal â'i nofelau hirfaith, enwog fel *A Glastonbury Romance* ac *Owen Glendower*, ysgrifennodd Powys gyfrolau mwy athronyddol, poblogaidd – ffurf gynnar, ecsentrig o'r llyfr hunangymorth cyfoes – a amlygai ei ddiddordeb ym meysydd seicoleg a seicdreiddiad yn y cyfnod hwn.[70] Er iddo ymbellhau oddi wrth syniadau Freudaidd yn ei weithiau wedi'r Ail Ryfel Byd, mae'n debygol iawn y byddai wedi trafod ei fyfyrdodau yn y maes hwn gydag Elena Puw Morgan a'i gŵr.

Beth bynnag am hynny, roedd trafodaeth o seicdreiddiad a syniadau Freud yn ddigon cyffredin o fewn y diwylliant Cymraeg yn yr 1930au, ynghyd ag awydd i fod yn ymwybodol o'r syniadau deallusol a gwleidyddol mwyaf modern yn gyffredinol. Ceir awgrym o'r duedd hon mewn nofel gan awdures arall diddorol o'r un cyfnod, sef Jane Ann Jones. Yn ei nofel deuluol, *Y Bryniau Pell*, cyfeiria'r prif gymeriad, Kate Morris, at arferion y dosbarth canol Cymraeg wrth ofyn beth a ystyrid yn fywyd llawn yn yr 1930au hwyr:

> Iddi hi, bywyd o garu a gwasanaethu ei theulu a'i chymdogion ydoedd. Bywyd braidd yn gul, efallai, yn ôl y gwybodusion a ehangai eu gorwelion drwy ddarllen ac ysgrifennu er mwyn traethu eu barn ar bapur ac ar goedd ar bynciau fel ymreolaeth i Gymru, yr 'adwaith' yn y byd llenyddol ac athrawiaeth Karl Marx.[71]

Awgrymir ehangder diddordebau deallusol Elena Puw Morgan yn y bywgraffiad byr ohoni ar ddechrau'r gyfrol o straeon byrion, *O'r Newydd*. Rhestrir ei diddordebau fel darllen, cerdded a theithio a dywedir bod 'ei hoffterau ym myd llyfrau yn rhy eang i fedru enwi unrhyw lyfr arbennig a roddodd y pleser mwyaf iddi'.[72]

Cyhoeddwyd ei stori yn y gyfrol hon – 'Diwrnod Jona' – yn 1948, bron i ddeng mlynedd wedi yr ystyrir yn gyffredinol iddi roi'r gorau i ysgrifennu a chyhoeddi ei gwaith oherwydd dyletswyddau teuluol. Adleisia'r ffaith i yrfa lenyddol Morgan orffen mor gyn-amserol sylwadau Jane Ann Jones uchod ynglŷn â'r bywyd cul y gorfodai cyfyngderau rhyweddol y cyfnod fenywod i'w dderbyn. Mae 'Diwrnod Jona' yn stori gymharol ysgafn, a'i hadroddir o safbwynt llais gwrywaidd am yr unig dro yn ei gwaith, wrth i Jona, dyn inswrans petrus, baratoi ar gyfer diwrnod angladd ei wraig, Jini. Gwelir yr un ymwneud â seicoleg sy'n nodweddu ei nofelau yn amlygu ei hun yn y stori hon wrth iddi ddarlunio rhwyg arwyddocaol yng nghymeriad Jona:

> Wrth godi o'i wely fore'r angladd, cafodd Jona ymdeimlad dieithr ei fod yn ddau hunan, yn lle'r un arferol. Yr oedd y cyntaf yn

dorcalonnus oherwydd colli Jini, ac yn arswydo wrth feddwl am y dyfodol hebddi. Safai'r llall, megis o'r neilltu, yn syllu, yn sylwi, yn gwrando ac yn actio – yn rhan o Jona ac eto o'r tu allan iddo.[73]

Cofia Gwilym R. Jones, wrth dalu teyrnged iddi, i Elena Puw Morgan fod yn aelod o'r un dosbarth Cymdeithas Addysg y Gweith- wyr ag ef yng Nghorwen, ac mae ei thair nofel yn arddangos ei dealltwriaeth amlwg o hanes a diwylliant ei hardal, ynghyd â'i hymwybyddiaeth o dueddiadau diwylliannol ei hoes.[74] Yn wir, mae ei nofelau yn ffynonellau arbennig o ddefnyddiol ar hanes cymdeithasol Cymru wledig yn ail hanner y bedwaredd ganrif ar bymtheg a hanner cyntaf yr ugeinfed ganrif, yn enwedig o ran arferion pob dydd ym myd gwaith, gwisg a charwriaeth, ac yn fwyaf penodol y cyfyngiadau a osodwyd ar fenywod yn y gym- deithas honno. Ysgrifennodd hwy oll yn ystod yr 1930au, cyfnod pan oedd seicoleg y plentyn yn tyfu fel gwyddor ac yn dod i amlygrwydd cyhoeddus trwy waith arloeswyr fel Anna Freud a Melanie Klein.

Darparwyd gofod i Francis Williams drafod y wyddor newydd ar dudalennau cylchgrawn *Y Gymraes* yn 1930, fel y gwelwyd eisoes, ac yn gyffredinol pwysleisiodd yr ymdriniaethau Cymraeg â'r pwnc pa mor niweidiol yn seicolegol gallasai triniaeth greulon ac anystyriol rhieni o'u plant fod wedi iddynt dyfu'n oedolion.[75] Yn ei ysgrif ar 'Y Feddyleg Newydd a'r Weinidogaeth' yn yr un flwyddyn, er enghraifft, sylwodd Edwin Jones fod gwyddor newydd 'Child Psychology' wrthi'n 'creu chwyldroad yn ein sefydliadau add- ysgol'.[76] Cymeradwyodd y chwyldro hwn yn ei ysgrif, gan danlinellu ei wrthwynebiad i'r dulliau blaenorol o drin plant fel a ganlyn: 'Megir rhai plant o dan ddisgyblaeth gor fanwl . . . Pechod an- faddeuol yng ngolwg eu rhieni yw iddynt siarad o gwbl, ond pan siaredir â hwy. Dyna'r hen ffordd o fagu plant, a ffordd ardderchog i'w cloffi yn gymdeithasol am eu hoes.'[77] Mynegodd yr heddychwr mawr George M. Ll. Davies ei wrthwynebiad yntau i ddisgyblu plant yn rhy lawdrwm a'i gefnogaeth o ddulliau addysgu modern, fel rhai y Farwnes Montessori, yn rheolaidd yn y cyfnod hwn.[78] Daeth un o arloeswyr mwyaf y dulliau modern hyn ym Mhrydain, sef A. S. Neill, a'i ysgol ddrwg-enwog Summerhill i ogledd Cymru yn 1940 a bu'n rhan anfodlon o'r gymuned yn ardal Ffestiniog tan ddiwedd y rhyfel.[79]

Adlewyrchir y ddysgeidiaeth newydd ynglŷn â seicoleg y plentyn yr oedd ysgolion arbrofol fel Summerhill yn gynnyrch ohono yn ddigamsyniol yn nofelau Elena Puw Morgan. Mae'n bwysig cofio iddi ddechrau ei gyrfa fel awdures drwy ysgrifennu straeon i blant, cyn troi at lenydda i oedolion. Fel y dywed Marian Ellis yn un o'r erthyglau beirniadol prin sy'n trafod ei gwaith: 'Datblygodd Elena Puw Morgan y syniad fod i fagwraeth ac etifeddiaeth ran hanfodol bwysig yn y broses o lywio bywyd a chymeriad dyn, a hyn yw prif thema *Y Graith*.'[80] Prin ac annelwig yw daliadau crefyddol y prif gymeriadau yn y nofel hon a'i hail nofel, *Y Wisg Sidan*, ac awgrymir yn gryf nad Duw neu ragluniaeth sy'n gyfrifol am eu ffawd ond ffactorau cymdeithasol a theuluol penodol. *Y Wisg Sidan* yw'r mwyaf adnabyddus a phoblogaidd o'r ddwy, ond darlun yr un mor onest a di-ramant o'r anghyfiawnderau dosbarth a rhyweddol sy'n aflunio bywydau ei chymeriadau a geir ynddi.[81]

Ystyr ddeublyg, symbolaidd sydd i'r graith yn ei nofel olaf a phwysicaf. Hynny yw, creithiwyd y prif gymeriad, Dori, yn gorfforol o dan ei llygad gan weithred greulon, fyrbwyll ei mam, ond fe'i creithiwyd yn seicolegol hefyd am weddill ei hoes gan ei chreulondeb a'i hanallu i arddangos unrhyw fath o gariad tuag ati. Stori magwraeth merch ifanc mewn pentref chwarelyddol tua dechrau'r ganrif sy'n cael ei cham-drin gan ei mam, ac effeithiau seicolegol ei chamdriniaeth arni fel oedolyn yw'r nofel yn ei hanfod. Brwydr Dori i osgoi trosglwyddo'r creithiau hynny i'w phlant hithau a geir yn ail hanner y nofel. Ymgorfforir caledi a thlodi Cymru wledig yn y cyfnod hwn yng nghreulondeb ei mam a diymadferthedd ei thad. Awgrymir yn gelfydd trwy hynny sut yr oedd creithiau economaidd yr ardal yn cael eu hadlewyrchu yng nghreithiau seicolegol, personol ei thrigolion. Yn nyfarniad Gwilym R. Jones, 'dehongliad seicolegol o fileindra cymeriad gwyrdroëdig' a geir ym mhortread cignoeth Morgan o'r fam; dehongliad a oedd yn herfeiddiol newydd yng nghyd-destun llenyddiaeth Gymraeg o ran ei ddyfnder a'i dreiddgarwch.[82]

Un o'r camau beiddgar a gymerodd Morgan yn ei nofel oedd awgrymu bod peryg i Dori ail-adrodd creulondeb ei mam wedi iddi gael ei phlant ei hun. Fe'n hatgoffir yn gelfydd trwy gydol y nofel o'r berthynas annatod rhwng ei chraith weledol a'r rhai dyfnach, anymwybodol sydd o'r golwg gan y ffaith fod y graith islaw ei llygad yn cosi pryd bynnag mae'n gwylltio neu'n digalonni. Pan enir ei mab Nathan ag anabledd dysgu, mae'n profi anawsterau ei hun i'w garu, 'ac er ei haddunedau aml i'w fagu mewn tiriondeb a'i ddysgu trwy amynedd, fe'i caffai ei hun yn aml yn troi arno ac yn ei guro'.[83] Ar ôl colli ei thymer a dwrdio'r bachgen eto, cyn i'w hewythr Owain ymyrryd, gofynna a yw'n debyg i'w mam. Mae'n ateb:

'Nac wyt – eto. Dy dad sydd uchaf ynot hyd yn hyn, ac eithrio ar ambell i funud fel honna gynnau. Ond y mae effeithiau dy blentyndod annedwydd yna, fel cancr, yn barod i ymdaenu trwy dy gyfansoddiad gydag y daw rhyw brofedigaeth i roi hwb iddo fo.'

'Dywedodd 'nhad fy mod wedi fy nghreithio', meddai Dori, a'i phen ar ei gliniau, 'ond ni ddeëallais i mohono.'[84]

Llwydda Dori wedi'r olygfa hon i ddatblygu perthynas mwy iach gyda'i phlant sydd wedi'i seilio ar gariad a'i phenderfyniad i beidio pasio'r graith ymlaen iddynt hwythau. Neges hanfodol y nofel, felly, yw bod ymddygiad rhieni yn gadael olion trwm ar eu plant, sy'n treiddio o dan y wyneb ac yn eu harwain yn anymwybodol yn aml i'w hail-adrodd, fel yn achos Dori a'i mab. Ond er gwaethaf hynny, cesglir fod yn bosib goresgyn yr etifeddiaeth dywyll hon drwy rym cariad; neges a gydymffurfiai'n agos â chenadwri gwyddor newydd seicoleg y plentyn yn y cyfnod hwn.

Dilynodd Kate Roberts nofelau seicolegol eu naws Elena Puw Morgan yn y cyfnod wedi'r Ail Ryfel Byd gyda thair nofel a fyddai'n canolbwyntio'n fwyaf arwyddocaol ar seicoleg unigol ei phrif gymeriadau benywaidd, sef *Stryd y Glep* (1949), *Y Byw sy'n Cysgu* (1956) a *Tywyll Heno* (1962).[85] Awgrymir yn nheitl yr ail nofel nid yn unig ymwybyddiaeth ei hawdur o'r gwahanol haenau yn y meddwl a ddatgelwyd yng ngwaith Freud a'i ddilynwyr ond hefyd ei dealltwriaeth o'r modd y celir gwirioneddau seicolegol yn aml o dan wyneb ein hymddygiad pob dydd. Cynnyrch ei phrofedigaeth bersonol enbyd, a'r iselder a'i dilynodd, yw'r tair nofel gan iddi golli ei gŵr, Morris Williams, yn 1946.

Llif ymwybod o fath a geir yn y nofel gyntaf, *Stryd y Glep*, ar ffurf dyddlyfr y prif gymeriad, Ffebi Beca, sydd wedi'i chaethiwo i'w gwely gan mwyaf ar ôl damwain a niweidiodd ei chefn. Ei brwydr fewnol i ymdopi â'i sefyllfa a chadw i fynd sy'n cael ei ddarlunio yn ei dyddiadur, a phrin iawn yw ei chyffyrddiad â'r byd allanol. Tanlinellir y modd yr oedd llenorion Cymraeg yn canolbwyntio'n gynyddol ar broblemau'r hunan a seicoleg yr unigolyn, tu hwnt i'r gymdeithas yr oedd yn rhan ohono, yn niweddglo *Stryd y Glep*. Awgrymir yng nghofnod olaf ond un Ffebi yn ei dyddlyfr mai amcan gwneud hynny yn y pen draw oedd deall y meddwl dynol yn well er mwyn gallu trosgynnu'r hunan ac ail-ymuno'n llawn â chymdeithas:

Mae un cysur o'r holl ddioddef ers ddoe. Yr wyf wyneb yn wyneb â mi fy hun erbyn hyn, ac wedi gorfod cydnabod nad yw'r holl feddyliau cas a'r gwenwyn yn ddim ond canlyniad yr hunanoldeb yma sydd ynof. Un meddwl sydd imi'n awr, ac mae hynny wedi gwneud pethau'n symlach, a'r meddwl hwnnw ydyw y bydd yn rhaid imi gael gwared â'r hunan yma; ac y bydd yn rhaid imi fy ngorchfygu fy hun i gychwyn. Yr wyf wedi disgyn i lawr o ardal lydan, wasgarog y meddyliau i fwlch cul yr hunan, a rhaid imi fyned heibio iddo, a sylweddolaf na fedr unrhyw allu dynol fy helpu.[86]

Yn hyn o beth dengys ei nofel pa mor barodocsaidd yr oedd cenhadaeth seicoleg yng nghanol yr ugeinfed ganrif: ar un llaw fe anogai roi sylw cynyddol ar yr hunan a phroblemau penodol unigolion i'w galluogi i dyfu i aeddfedrwydd llawn, ond ar y llaw arall fe wnâi hynny yn rhannol er mwyn sicrhau bod unigolion yn addasu eu hunain i'w cymdeithas ac yn cydymffurfio â'i harferion. Y paradocs hwn a arweiniodd at y mudiad gwrth-seiciatryddol yn yr 1950au a'r 1960au, a ysbrydolwyd yn bennaf gan weithiau'r Albanwr R. D. Laing, er bod Laing ei hun wedi gwrthod y term.[87] Un o agweddau mwyaf diddorol triawd o nofelau Kate Roberts yw eu bod, yn anymwybodol i raddau helaeth, yn datgelu pa mor rymus oedd y pwysau ar fenywod yn arbennig i gydymffurfio â disgwyliadau cymdeithasol yn y cyfnod hwn. Gwyddwn o'i mynych ysgrifau ac adolygiadau ar weithiau llenyddol a phynciau cymdeithasol ei hoes pa mor eang y darllenai, gan gynnwys cyfrolau dirfodwyr blaenllaw'r cyfnod fel Albert Camus, Simone de Beauvoir a Jean-Paul Sartre, thema y dychwelwn ati yn y bennod nesaf. Er nad oes tystiolaeth gadarn yn yr ysgrifau hynny iddi ddarllen gweithiau Freud ac awduron eraill amlwg y cyfnod ym maes seicoleg, gwelir olion digamsyniol o'u syniadau yn ei thriawd o nofelau seicolegol rhwng 1949 ac 1962.

Adroddir rhan sylweddol o'r stori yn *Y Byw sy'n Cysgu*, a gyhoeddwyd yn 1956, eto trwy gyfrwng y dyddlyfr er mwyn datgelu haenau dyfnaf meddwl y prif gymeriad, Lora Ffenig. Ffordd o ddod â'r teimladau anymwybodol hyn i'r wyneb yw ysgrifennu'r dydd lyfr i Lora, fe awgrymir: 'Mae un peth yn sicr, mae rhyw bwerau'n gweithio y tu ôl imi'n ddiarwybod imi.'[88] Gwyddwn mai'r profiad o ddarllen nofel Sartre, *La Nausée*, a ysbrydolodd Kate Roberts i ddefnyddio'r arddull gyffesol hwn gyntaf yn *Stryd y Glep*.[89] Stori Lora wedi i'w gŵr ei gadael a geir yn ei nofel nesaf. Portreadir y sefyllfa gymdeithasol anodd mae ei ymadawiad yn gorfodi ar Lora mewn modd sy'n tanlinellu nid yn unig y cyfyngiadau a osodwyd ar fywydau menywod yn y cyfnod hwn, ond hefyd canlyniadau seicolegol andwyol y rhwymau hynny. Cyn i'r ddeddf berthnasol gael ei diwygio yn 1969, roedd yn anodd tu hwnt i sicrhau ysgariad ym Mhrydain. Golygai hynny i bob pwrpas bod menywod yn arbennig yn aml yn gaeth o fewn priodasau anhapus, hyd yn oed wedi i berthynas y gŵr a'r wraig dorri lawr, fel yn achos Lora ac Iolo Ffenig. Parchusrwydd a chulni'r gymdeithas batriarchaidd, glawstroffowbaidd y mae Lora'n gaeth o'i fewn a ddarlunnir yn *Y Byw sy'n Cysgu*, a'i dydd lyfr yw'r unig fodd sydd ar gael iddi ryddhau peth o'i rhwystredigaeth. Trwy ysgrifennu ynddo, dywed yn niweddglo'r nofel, ei bod 'wedi cael mynegi rhywbeth y rhwystrwyd fi gan y gymdeithas yr wyf yn byw ynddi rhag ei fynegi'.[90]

Yn gynharach yn y nofel, cyffesa mai'r dyddlyfr yn unig sy'n caniatáu iddi allu parhau i gydymffurfio â'r parchusrwydd sy'n ddisgwyliedig o fewn ei chymuned: 'Ni welaf ddim amdani, ond byw dau fywyd, cymryd arnaf wrth bobl fy mod yn dygymod, a bod yn onest yn unig gyda hwn.'[91] Cawn adlais yn y cyfeiriad hwn at fywyd deublyg o'r syniadau a ddatblygodd R. D. Laing tua'r un cyfnod yn ei gyfrolau pwysicaf, fel *The Divided Self*.[92] Dadl Laing yn ei hanfod yw bod angen deall pob anhwylder seicolegol o fewn cyd-destun cymdeithasol a theuluol penodol yr unigolyn sy'n ei arddangos. Ymhellach, o archwilio'r cyd-destun hwnnw yn ofalus, fel y gwneir yn achosion yr 11 menyw a labelwyd â'r cyflwr sgitsoffrenia sy'n cael eu trafod yn ei gyfrol *Sanity, Madness and the Family*, gwelir bod modd deall eu hymddygiad yn aml fel ffordd o geisio dygymod â'r clymau dwbl (*double bind*) a osodwyd arnynt gan eu teuluoedd a'r gymdeithas ehangach, yn hytrach na fel symtomau patholegol yn unig.[93] Bwriad gwneud hynny oedd ceisio deall argyfwng yr unigolyn o'i safbwynt dirfodol ef neu hi ei hunan er mwyn galluogi iddo neu iddi ddod trwyddo. Argyfwng dirfodol unigolyn sydd o dan bwysau cymdeithas a osodai ddisgwyliadau cyfyng, penodol ar fenywod yn arbennig a bortreadir yn ei nofel nesaf, *Tywyll Heno*.

O'r tair nofel, *Tywyll Heno* yn ddiau sy'n cynnig yr ymdriniaeth llawnaf ag effeithiau seicolegol sefyllfa a statws cymdeithasol cyfyngedig menywod Cymreig yn y cyfnod dan sylw. Dengys y crynodeb ar siaced lwch yr argraffiad cyntaf pa mor bwysig yw'r cyd-destun cymdeithasol i'r stori: 'Stori sydd yma am wraig ganol oed, gwraig i weinidog, yng nghanol yr ugeinfed ganrif a ganfu fod amgylchiadau'r oes yn ormod iddi.'[94] Mae'r nofel yn agor mewn ysbyty meddwl lle triga'r prif gymeriad, Bet Jones, dros dro ar ôl iddi brofi cyfnod o iselder ysbryd difrifol. Ymgynghorodd yr awdures gyda Dr Peter Hughes Griffiths o Ysbyty'r Meddwl, Dinbych er mwyn sicrhau ei bod yn cynnig darlun mor gywir â phosib o argyfwng meddyliol Bet.[95]

Ymson Bet yn olrhain yr hyn a arweiniodd at ei hargyfwng a geir yn y nofel, a gwelwn mai'r profiad o golli ei ffydd sy'n ei ysgogi, ynghyd â'r rhwystredigaethau a'r anawsterau sy'n codi yn ei bywyd pob dydd. Mae'r mwyafrif o'r rhain yn gysylltiedig â'i rôl fel gwraig i weinidog Anghydffurfiol. Gwneir y cyswllt hwn yn amlwg trwy'r cyferbyniad rhwng ei bywyd cyfyng â rhyddid ei ffrind, Melinda; gweddw ifanc sy'n teithio i'r cyfandir yn rheolaidd. Cynrychiola cymeriad Melinda yr hyn a gyfeiria Bet ato fel y 'byd newydd a welwn, y clywn ac y darllenwn amdano mewn llyfrau lle na welid bai ar bechod', ac fe awgrymir mai ei statws fel gweddw sy'n caniatáu iddi fod yn rhan o'r byd newydd hwn.[96] Hynny yw, golyga statws Bet fel gwraig i weinidog ar y llaw arall ei bod ynghlwm wrth rigolau'r bywyd crefyddol oedd yn prysur edwino.

Yn un o olygfeydd mwyaf trawiadol y nofel, cawn awgrym cryf o'r atalfeydd a effeithiai'r ddau ryw yn y cyfnod rhwng dau fyd yr haera Melinda bod Bet yn byw ynddo. Ar brynhawn olaf eu gwyliau mewn bwthyn gwledig, wedi trafodaeth hir ynglŷn â llenyddiaeth a moesau'r dydd – dadl y mae Bet yn arwyddocaol yn cael ei chau allan ohoni – dechreua Bet a'i ffrindiau ddawnsio i record ar y gramoffon:

Dyma fi'n gafael yn Wil, y nesaf ataf, ac yn dechrau dawnsio; aeth y chwiw dros bawb, a Gwilym a Geraint yn y gynffon, yr unig rai a fedrai ddawnsio. Yr oedd traed mawr Wil yn fy maglu bod munud, ond chwyrliem amgylch ogylch, amgylch ogylch fel pethau gwallgof, a minnau'n gorffwys fy mhen ar fynwes Wil – ni chyrhaeddwn ddim pellach na hynny – a mwynhau'r profiad. Rhyfedd mor hawdd yw caru dyn arall yn ein dychymyg. Stopiwyd yn stond ar ddiwedd y record, pawb yn chwythu, heb neb yn dweud dim, fel pe buasai arnom gywilydd o'n gwallgofrwydd munud awr.[97]

Cytuna Bet â sylw ei gŵr wedi iddynt ddod i'w hunain mai ffordd braf o ffarwelio â'u ffrindiau oedd eu dawns wyllt, ond ychwanega'n arwyddocaol, 'biti na 'fasen ni'n byw fel yna o hyd'.[98] Mae'n drawiadol hefyd mai ymweliad â'r seiat, y sefydliad Anghydffurfiol a fu unwaith yn gyfle i aelodau'r capeli rannu eu profiadau mewn modd nid annhebyg i'r broses seicdreiddiol, ond a oedd bellach yn ddefod farwaidd a dienaid, a arweinia at Bet yn gorfod mynd i'r ysbyty meddwl am gyfnod. Er ei bod yn adennill ei ffydd erbyn iddi adael yr ysbyty, yr argraff mae'r nofel yn ei adael yn ei chryn-swth yw pa mor aneffeithiol oedd darpariaeth y sefydliadau cref-yddol yng Nghymru wedi'r Ail Ryfel Byd i gwrdd ag anghenion ysbrydol a seicolegol menywod yn arbennig mewn cymdeithas a oedd yn prysur gael ei thrawsffurfio.

Beirniadaeth gynnil Kate Roberts o'i chymdeithas batriarchaidd a geir yn y nofelau a drafodwyd uchod, fe ellir dadlau. Dadansoddiad seicolegol gofalus o'i phrif gymeriadau oedd y cyfrwng mwyaf parod iddi fynegi'r feirniadaeth hwn. Gellir dadlau, ymhellach, mai persbectif ôl-Freudaidd mae'n gynnig yn y dair nofel gan eu bod yn darlunio niwrosis ac argyfyngau seicolegol Ffebi Beca, Lora Ffenig a Bet Jones ill tair fel cynnyrch ffactorau cymdeithasol a diwylliannol penodol yn eu presennol, yn hytrach na chanfod eu gwreiddiau yn eu hanymwybod a'u gorffennol. Trafodwyd arwyddocâd a goblygiadau *Tywyll Heno* yn arbennig yn weddol reolaidd yn y wasg Gymraeg yn yr 1960au a'r 1970au, cyfnod pan yr oedd y math o seicoleg ôl-Freudaidd a welai ffactorau cymdeithasol a rhyweddol fel rhai allweddol ym mhenderfynu cyflwr iechyd meddwl unigolion yn tyfu i amlygrwydd, yn bennaf trwy waith R. D. Laing a'i ddilynwyr. Cyfeiriodd y seiciatrydd David Enoch at waith Laing yn un o'r erthyglau mwyaf goleuedig ar y nofel yn 1970.[99] Dywed, yn dilyn cyfrol ddiweddaraf a mwyaf dadleuol Laing, *The Politics of Experience*, fod

> ychydig o seiciatryddion dadleuol . . . yn awgrymu fod y seicotig yn gweld ymhellach na'r dyn normal. Yn wir cawn y geiriau traw-iadol ar dudalen 10 o *Tywyll Heno* hefyd drwy enau Gruff: 'Rhaid i chi fod yn wallgof i weld yn iawn.'[100]

Ond prysura i ychwanegu nad oedd unigolion a fu trwy'r profiad o seicosis eu hunain o reidrwydd yn cytuno.

Efallai mai gwerth mwyaf parhaol *Tywyll Heno* a'i ddau rag-flaenydd yw'r modd y maent yn ein hatgoffa o'r cyswllt rhwng iechyd meddwl a ffactorau sy'n benodol i'r gymdeithas yng Nghymru a'r diwylliant Cymraeg. Prin iawn yw'r sylw, fe ellir dadlau, sy'n cael ei roi i'r cysylltiadau hyn yn ein cymdeithas gyfoes, wrth i'r niferoedd sy'n cymryd cyffuriau fel gwrthiselydd-ion i drin gwahanol gyflyrau seicolegol gynyddu o flwyddyn i flwyddyn, ac i'r esboniad beiogemegol ar gyfer y cyflyrau hynny gael ei dderbyn yn gyffredinol a'u gwestiynu yn llai aml, yn gyhoeddus o leiaf.[101] Er y cynnydd adeiladol yn y drafodaeth ynghylch anhwylderau meddyliol o wahanol fathau a welwyd yng Nghymru yn y blynyddoedd diwethaf, ychydig iawn o sylw a neilltuwyd i'r posibilrwydd bod y tlodi, y diffyg swyddi a'r anghydraddoldeb sy'n hacru rhan helaeth o gymunedau'r wlad yn cyfrannu at, yn atgyfnerthu, neu hyd yn oed yn meithrin yr anhwylderau hynny.[102] Fel yng nghyfnod Kate Roberts, menywod yng Nghymru sy'n fwyaf tebygol o gael eu heffeithio gan yr anghyfartaledd hwn trwy gyflogau cymharol is, lefelau annerbyniol o drais ac aflonyddu yn eu herbyn, ac amryw o ffactorau eraill. Mae'n bwysig cofio felly, heb ddiystyried neu ddibrisio'r ffactorau genetig a beiogemegol sy'n chwarae rhan ddiamheuol mewn iechyd meddwl, bod ffactorau cymdeithasol ac economaidd y *gellir* eu newid yn chwarae rhan allweddol yn natblygiad niwrosis o wahanol fathau hefyd. Trown at ddirfodaeth yn y bennod nesaf; cangen o athroniaeth a dyfodd i boblogrwydd eang yn y cyfnod dan sylw yn rhannol am ei fod yn cynnig cynhorthwy i wneud y newidiadau cymdeithasol ac economaidd hynny.

3

Argyfwng ac Ymrwymiad: Dirfodaeth Gymraeg

Gwelwyd yn y ddwy bennod gyntaf sut yr ymatebodd deallusion a llenorion Cymraeg yn gyflym tu hwnt i ddatblygiadau cyfandirol ym maes seicoleg a seicdreiddiad rhwng yr 1920au a'r 1960au. Llwyddwyd i gyfieithu prif dermau a chysyniadau seicdreiddiad i'r Gymraeg ac hefyd i gymhwyso prif egwyddorion dysgeidiaeth Freud a'i ddilynwyr mwyaf blaenllaw i anghenion arbennig y diwylliant Cymraeg. Pwrpas y bennod hon yw dangos sut y profwyd proses debyg iawn yn achos yr ymateb i un o brif fudiadau athronyddol y cyfnod dan sylw, sef dirfodaeth (*existentialism*). Edrychir yn fanwl ar waith llenorion fel John Gwilym Jones a wnaeth ddefnydd o syniadau dirfodol yn eu dramâu a nofelau, a diwinyddion ac athronwyr fel Harri Williams a J. R. Jones a fu'n ymdrin â hwy yng nghyd-destun rhai o brif ddadleuon diwylliannol a gwleidyddol ei hoes. Fel yn achos seicdreiddiad, dadleuir i'r deallusion ac awduron creadigol hyn gymhwyso'r athroniaeth ddirfodol – a oedd yn un lluosog ac amlweddog yn ei hanfod – at ddibenion penodol Cymreig mewn amrywiol ffyrdd, ac i hynny wneud cyfraniad pwysig yn ei dro at ddatblygiadau gwleidyddol yng Nghymru'r cyfnod wedi'r Ail Ryfel Byd.

Pwynt hanfodol i'w nodi ynglŷn â dirfodaeth cyn cychwyn unrhyw drafodaeth o'r athroniaeth mewn cyd-destun Cymraeg yw nad cyfanwaith unedig o syniadau grŵp o feddylwyr mewn cyfnod arbennig ydyw ond clytwaith, yn hytrach, o syniadau athronwyr a diwinyddion o sawl gwlad a chyfnod gwahanol sy'n rhannu rhai priodoleddau amlwg. Cyfeiriodd y cymdeithasegydd Oswald Davies atynt yn un o'r cyfrolau Cymraeg cyntaf i grybwyll eu syniadau fel 'athronwyr Bodolaeth', gan mai pwyslais ar fodolaeth neu fod – ar draul categorïau athronyddol eraill fel metaffiseg neu foeseg – oedd yr agwedd amlycaf a glymai gweithiau awduron mor amrywiol â Søren Kierkegaard, Martin Heidegger, Martin Buber, Jean-Paul Sartre a Simone de Beauvoir at ei gilydd.[1] Ymgais yr unigolyn dynol i wneud synnwyr o'i fodolaeth a chyrraedd ymdeimlad o ystyr bersonol yw canolbwynt yr athroniaeth ddirfodol yn ei ffurf grefyddol ac anffyddiol. Yr ail brif elfen sy'n gyffredin yn athroniaeth y dirfodwyr amrywiol yw eu bod yn pwysleisio rhyddid unigolion i ganfod yr ystyr hwn drostynt eu hunain, fel y sylwodd y colofnydd a gweinidog Alun Page yn ei ysgrif ddiddorol ar Sartre yn 1968. 'Y mae Duw wedi marw', yn ôl athroniaeth Sartre, meddai, 'ond y mae dyn yn rhydd, ac yn y rhyddid ofnadwy hwn y mae dimensiwn pob rhyfeddod'.[2] Denwyd meddylwyr Cymraeg fel Page at rai o syniadau Sartre a'i debyg, fel y gwelwn, er nad oeddynt o reidrwydd yn cydsynio â'i anffyddiaeth ddi-sigl.

Rhyddid a chyfrifoldeb yr unigolyn i wneud defnydd ohono yw prif thema dirfodaeth. Yn absenoldeb unrhyw fath o natur hanfodol, sefydlog, mae'r unigolyn dynol yn rhydd i wneud y penderfyniadau a'r dewisiadau sy'n diffinio ei fodolaeth a'i hunaniaeth. Y pryder neu'r angst sy'n dilyn yn anochel o ganlyniad i'r rhyddid hwnnw yw un arall o gysyniadau mwyaf nodweddiadol dirfodaeth yn ei ffurf grefyddol a seciwlar. Disgrifiodd Sartre y tueddiad i dawelu'r pryder hwn trwy ddianc o oblygiadau ein rhyddid hanfodol – proses a ddadansoddwyd yng ngwaith y seicolegydd ôl-Freudaidd Erich Fromm yn yr un cyfnod – fel *mauvaise foi* neu ffydd ddrwg. Yn y cyflwr hwn, gwrthoda'r unigolyn dderbyn y ffaith nad yw ei natur na'i hunaniaeth yn sefydlog nac yn ddigyfnewid, gan gydymffurfio'n ufudd yn y broses gyda pha bynnag rôl gymdeithasol y disgwylid iddo neu iddi chwarae. Ein hannog i osgoi'r hunan-dwyll sy'n deillio o fyw mewn *mauvaise foi* trwy dderbyn a chydnabod ein rhyddid sylfaenol yw prif amcan athroniaeth Sartre a de Beauvoir yn arbennig.

Yn dilyn arweiniad arloeswyr ffenomenoleg fel Edmund Husserl o ddechrau'r ugeinfed ganrif a'i ddisgybl mwyaf dylanwadol, Martin Heidegger, roedd pwyslais dirfodwyr y cyfnod wedi'r Ail Ryfel Byd nid yn unig ar ryddid ond hefyd ar fodolaeth yr unigolyn yn y byd fel y mae a'i brofiadau o'i fewn. Eu dadl yn gyffredinol oedd mai dim ond trwy ddisgrifio a dadansoddi profiadau a theimladau goddrychol yr unigolyn, fel pryder ac unigrwydd, y gellid deall bodolaeth ddynol, nid trwy geisio adeiladu darlun gwrthrychol, haniaethol ohono. Yn ôl Albert Camus, un arall o'r awduron amlycaf a gysylltir â'r mudiad dirfodol yn Ffrainc o'r 1940au ymlaen, roedd y fodolaeth honno yn ddiystyr ac absŵrd yn ei hanfod, ond cytunai â'i gymheiriaid Sartre a de Beauvoir mai'r unig bosibilrwydd i'r unigolyn greu ystyr o'i fodolaeth yw iddo neu iddi wynebu ei ryddid a'r cyfrifoldeb sy'n rhan annatod ohono.[3]

Roedd pwyslais y dirfodwyr ar gyfrifoldeb yn un a gydsyniai'n agos â meddylfryd a syniadaeth amryw o feddylwyr Cymraeg yr un cyfnod, fel y gwelwn. I feddylwyr fel Sartre, de Beauvoir a Camus, bod yn wir i'r hunan (*authenticity*) oedd y gwerth pwysicaf, trwy ddangos y parodrwydd i fyw bywyd mor ymrwymedig â dilys a phosib yn wyneb sicrwydd marwolaeth ac, ym marn Camus yn arbennig, ei natur absŵrd. Adeiladir ystyr trwy ein gweithredoedd yn y byd felly, yn ôl Sartre: 'Authenticity reveals that the only meaningful project is that of *doing* (not that of being).'[4] Arweiniodd eu pwyslais ar ryddid at gydymdeimlad nodedig ar ran Sartre a de Beauvoir yn arbennig gyda lleiafrifoedd a chenhedloedd bychan a wladychwyd, gan gynnwys Gwlad y Basg, a bu'r ddau yn weithgar tu hwnt o'u plaid.[5] Mae eu cefnogaeth o frwydrau gwrthdrefedigaethol a'r pwyslais yn eu gwaith ar sicrhau rhyddid i wledydd bychan a wladychwyd yn rhan o apêl a pherthnasedd parhaol eu syniadau mewn cyd-destun Cymreig, fe ellir dadlau.

Defnyddiwyd y term Cymraeg dirfodaeth gyntaf fel cyfieithiad o *existentialism* yn ysgrifau arloesol Myrddin Lloyd ar y pwnc i *Efrydiau Athronyddol*. Y cyntaf o'r rhain yw ei ymdriniaeth estynedig â gwaith Søren Kierkegaard – un o gyndeidiau pwysicaf dirfodaeth – yn rhifyn 1940 o'r cyfnodolyn.[6] Trodd Lloyd ei sylw at waith y dirfodwyr cyfoes mewn adolygiad manwl o drosolwg yr awdur Eidalaidd, Guido De Ruggiero, o'u syniadau yn 1947.[7] Tanlinellir yn ei adolygiad o *Existentialism* mai term Cymraeg ar gyfer *existence* yw dirfod.[8] Mae'n nodi i awdur rhagarweiniad y gyfrol roi'r clod i Gymro, Dr Tudor Jones, am egluro gwaith dau brif arloeswr dirfodaeth fodern yn yr Almaen, sef Martin Heidegger a Karl Jaspers, i gynulleidfa Saesneg am y tro cyntaf yn ail gyfrol ei *Contemporary Thought of Germany* yn 1931, gan nodi fod y mudiad yn 'dal i fod yn grefyddol ei duedd' yn y cyfnod hwnnw, 'ond yn ystod ac ar ôl yr Ail Ryfel Byd datblygwyd gyda nerth a chyflymder rhyfedd, yn enwedig yn Ffrainc, fudiad dirfodol, atheistaidd, a phendant wrthgrefyddol'.[9] Trwy dynnu sylw at y ffaith bod dirfodwyr cyfoes, fel Heidegger, Karl Jaspers a'r 'Ffrancwr Cristnogol Gabriel Marcel', y dadansoddir eu syniadau yng nghyfrol Ruggiero, wedi dilyn adwaith Kierkegaard 'yn erbyn rhesymoliaeth Hegelaidd', gwna adolygiad Lloyd gyswllt pwysig rhwng dirfodaeth a seicdreiddiad.[10] Rhannai'r ddwy syniadaeth yr un amheuaeth o resymoliaeth, ac roedd hynny'n rhan bwysig o greu'r ymdeimlad yn yr 1940au bod dynoliaeth mewn argyfwng dybryd, a'r dadrithiad cyffredinol yn ei alluoedd a'i dilynodd. Dengys hefyd i Heidegger gyfuno pwyslais Kierkegaard ar 'y bywyd unigol arbennig' gydag 'elfennau o Ffenomenoleg Husserl, gyda'i ddadansoddi o gynnwys ymwybod'.[11]

Cyflwynir rhai o'r termau dirfodol pwysicaf i'r disgwrs athronyddol Gymraeg yn ei adolygiad, fel yn achos ffenomenoleg uchod. Cyfeirir, er enghraifft, at ymestyniad Heidegger o un o brif dermau Kierkegaard, sef 'Angst (gofal, pryder)', a'i gysyniad canolog ei hun, *Dasein*, i ddisgrifio natur ein bodolaeth. Rhydd y grynodeb dreiddgar ganlynol o'r ymagwedd tuag at *Dasein* mae gwaith Heidegger yn ei argymell:

> trwy i ddyn wrthod derbyn ei dwyllo ynglŷn â natur bywyd, cydnabod ei derfynau, ac yna llunio ei werthoedd ei hun o fewn i'r terfynau hynny, a rhoi ystyr i'r gwerthoedd a lunia trwy eu byw. Dyna'r unig fywyd sydd yn *Existenz*, yn greadigol, ac yn deilwng o ddyn.[12]

Yng ngolau'r ddirfodaeth gyfoes hon, felly, fel yn achos seicdreiddiad, dim ond yr unigolyn a allai roi ystyr i'w fodolaeth, nid unrhyw awdurdod allanol ar ffurf Duw neu grefyddau cyfundrefnol.

Datblygodd Lloyd ei ymdriniaeth â syniadau'r dirfodwyr cyfoes mewn ysgrif faith ar syniadau Gabriel Marcel – y cyntaf i ddefnyddio'r term dirfodaeth yn Ffrangeg, yn 1943 – a Sartre yn rhifyn y flwyddyn olynol o'r *Efrydiau Athronyddol*.[13] Pwynt hanfodol bwysig i'w bwysleisio ynglŷn â'i erthyglau ar ddirfodaeth yn gyffredinol yw iddo eu hysgrifennu mewn cyfnod pan oedd y syniadau hynny yn newydd iawn a heb eu trosi i'r Saesneg yn aml. Darllenodd Lloyd weithiau gwreiddiol athronwyr fel Marcel a Sartre yn Ffrangeg, felly, heb ddibynnu ar yr ymdriniaethau prin â'u gwaith oedd wedi cael eu cyhoeddi yn Saesneg erbyn canol yr 1940au. Yn hynny o beth mae'n ffigwr nodweddiadol iawn o chwilfrydedd a menter ddeallusol ei genhedlaeth o ysgolheigion a meddylwyr Cymraeg. Fel yn achos seicdreiddiad, ymatebwyd yn gyflym tu hwnt i'r ddirfodaeth gyfoes gyfandirol yn y Gymraeg, ac fe wnaed hynny trwy ddarllen y gweithiau gwreiddiol yn hytrach na chrynodebau Saesneg ohonynt. Daeth rhai o'r deallusion hyn i gysylltiad uniongyrchol â phrif leisiau'r ddirfodaeth gyfoes ym Mharis, fel y gwelwn yn achos Caryl Davies.

Yn sicr, rhagflaenai dehongliad Myrddin Lloyd o weithiau rhai o'r prif ddirfodwyr cyfoes, fel Sartre a Marcel, yr ymdriniaethau Saesneg mwyaf adnabyddus â'u gwaith a gyhoeddwyd yn yr 1940au a'r 1950au. Dehongliad uniongyrchol, gwreiddiol, Cymraeg o ddirfodaeth a geir yn ei ysgrifau, nid un ail-law wedi'i ail-bobi o ffynonellau eilaidd. Ymhellach, gellir dadlau i awduron Cymraeg ymateb yn fwy cyflym ac adeiladol i syniadau'r dirfodwyr cyfandirol na'u cymheiriaid ar draws y ffin gan nad oeddynt yn rhannu'r un elyniaeth tuag at eu diwylliannau yn fwy cyffredinol. Fel y dadleuodd Martin Woessner yn 'Angst Across the Channel', ei ysgrif bwysig ar hanes dirfodaeth ym Mhrydain, bu ysgolheigion Seisnig blaenllaw yn araf neu'n amharod i gydnabod pwysigrwydd syniadau dirfodwyr cyfoes o'r Almaen a Ffrainc yn sgil yr Ail Ryfel Byd.[14] Disgrifiodd Hugh Trevor-Roper, yr hanesydd blaenllaw o Brifysgol Rhydychen, er enghraifft, y syniadaeth fel 'an irrational philosophy of defeat' yn 1947.[15] Cysylltwyd syniadau athronwyr dirfodol o Ewrop â ffasgaeth a Natsïaeth yn rheolaidd yng ngwaith deallusion Seisnig y cyfnod. I ddeallusion cenedlaetholgar fel Myrddin Lloyd, i'r gwrthwyneb, parhaodd y tueddiad a ddechreuodd cyn y rhyfel i edrych tuag at Ewrop ar gyfer ysbrydoliaeth a syniadau newydd i mewn i'r 1940au a thu hwnt, fel rhan o'u hymgais i ryddhau Cymru o afael y wladwriaeth Brydeinig. Metha Woessner, fel y mwyafrif o academyddion eraill sydd wedi trafod hanes deallusol y cyfnod, gydnabod neu hyd yn oed grybwyll pa mor wahanol i'r hyn a welwyd yng ngweddill ynysoedd Prydain oedd yr ymateb o fewn y diwylliant Cymraeg i syniadau cyfandirol fel dirfodaeth.

O ganlyniad i'w allu i ymdrin â'r ffynonellau gwreiddiol, mae Lloyd yn cyflwyno dyfyniadau arwyddocaol o un o weithiau athronyddol pwysicaf Marcel, *Bod a Meddiannu*, wedi'u cyfieithu ganddo ef ei hun yn ei ysgrif arno a Sartre, ac mae'n cyfeirio'n bwrpasol at lyfrau Ffrangeg diweddar ar ei waith, fel *La Philosophie de Gabriel Marcel* gan de Carte.[16] Wedi adran yn cyflwyno manylion bywgraffiadol Marcel, gan gynnwys ei waith fel dramodydd a'i syniadau crefyddol, cawn amlinelliad manwl o'i athroniaeth ddirfodol a'i brif egwyddorion. Yn un o'r dyfyniadau a gyfieithodd o'r gyfrol *Bod a Meddiannu*, cyflwynir craidd yr athroniaeth ddirfodol Ffrengig gyfoes, gyda'i phwyslais ar ryddid ac ymrwymiad yr unigolyn yn wyneb argyfwng, fel a ganlyn:

> Ni ellir cyfarfod bodolaeth ond yn bersonol, a hynny gan fodyn cyfan yn ymgyflwyno (*s'engager*) i ddrama sy'n bersonol iddo, er yn estyn allan ohono ar bob tu, – bodyn a chanddo'r ddawn hynod i'w arddel neu ei wadu ei hun yn ôl fel y mae'n cydnabod bodolaeth ac yn ymagor iddi, neu yn ei gwadu, ac yn amgau amdano'i hun. Yn yr argyfwng hwn ceir hanfod ei ryddid.[17]

Y cysyniad hwn o *s'engager* neu ymrwymiad i achos arbennig a fu'n fwyaf o ysbrydoliaeth ac esiampl i Lloyd a chenedlaetholwyr eraill yn y cyfnod wedi'r Ail Ryfel Byd, fel y gwelwn. Cyfrannodd cenhadaeth y dirfodwyr cyfoes yn arwyddocaol at yr ymdeimlad cynyddol yn eu plith bod y diwylliant Cymraeg yn wynebu argyfwng a'i fod yn rhwym arnynt o ganlyniad i bledio'u hunain i'r achos cenedlaethol trwy wneud dewis gweithredol i'w amddiffyn.

Wedi ei drafodaeth o athroniaeth Marcel, â Lloyd ymlaen i drin y syniadau dirfodol cysylltiedig ond cyferbyniol mwyaf cyfoes yn

Ffrainc a dyfodd yng nghysgod argyfwng yr Ail Ryfel Byd. Dywed mai adlewyrchiad o'r cyflwr meddwl argyfyngus a greodd y rhyfel yn Ffrainc yw'r 'athroniaeth ddu' gyda'i dermau canolog fel *l'absurde*, *la nausée*, *l'abandon* a *l'angoisse*, a ymddengys yn besimistaidd ar yr olwg gyntaf. 'Ond nid dyna'i hapêl fawr,' meddai, yn allweddol, 'oblegid yn ei dysg gadarnhaol y mae ei grym. Ymgais ydyw yn y bôn i ail-ddarganfod ffynonellau rhyddid creadigol dyn.'[18] Gorfodwyd yr unigolyn i wneud dewisiadau tyngedfennol yn Ffrainc a nifer o wledydd eraill yn ystod y rhyfel, ac nid oedd cyfarwyddyd y seicdreiddwyr na'r gwyddonwyr, fe ddengys, o unrhyw gymorth. 'Gŵyr yn y bôn mai ef ei hun sy'n dewis ei gwrs', meddai, mewn cyferbyniad, 'ac mai yn ei ddewis y mae yn ei gael ei hun, ac mai trwyddo y mae'n llunio ei "fyd"'.[19] Dyna'r esboniad am boblogrwydd eang athroniaeth Sartre, yn ôl Lloyd, 'sef bod cenedl a brofodd argyfwng o'r fath, yn teimlo ei fod yn dweud y gwir am natur rhyddid dyn'.[20]

Tybed a oes awgrym yn ei gyfeiriad at genedl yn y dyfyniad uchod fod dirfodaeth Sartre wedi apelio at Lloyd fel cenedlaetholwr, a'i fod wedi gweld cyfle i wneud defnydd o'r syniadau hyn i hybu'r achos fel aelod brwd o Blaid Cymru? Hynny yw, synhwyrai y gellid defnyddio'r ymagwedd ddirfodol, gyda'i phwyslais canolog ar ryddid, er mwyn ymateb i'r argyfwng yr oedd Cymru hefyd yn wynebu fel cenedl yn y cyfnod hwnnw. Ymhelaetha ar gysyniad creiddiol Sartre o *engagement* wrth drafod ei ddramâu, a chyfeiria at frwydr ei gymeriadau i 'ymgodymu a'u presennol'.[21] Onid galwad ar y Cymry wneud hynny ac iddynt groesawu baich rhyddid, fel y dengys i'r cymeriad Orestes wneud yn nrama Sartre, *Les Mouches* (*Y Gwybed*), oedd wrth galon neges Plaid Cymru? Mae'n pwysleisio'r rôl weithredol chwaraeodd Sartre mewn sicrhau rhyddid i'w wlad, a phwysigrwydd rhyddid cenedlaethol yn ogystal â rhyddid yr unigolyn a awgrymir trwy gydol ei ysgrif. Fel yn achos gwaith Marcel, cyflwyna ei gyfieithiadau ei hun wedi'i dethol o gyfrol athronyddol bwysicaf Sartre, *Bod a Difod*, i gyfleu'r pwynt dirfodol sylfaenol mai dyn (neu ddynes) 'yw'r unig fod rhydd' ac mae ef (neu hi) 'yn unig sydd a'i fodolaeth yn rhagflaenu ar ei hanfod'.[22]

Mae'n cynnig crynodeb o dair cyfrol athronyddol bwysicaf Sartre, gan nodi pa mor gamarweiniol yw teitl y cyfieithiad Saesneg,

Existentialism and Humanism, a oedd newydd gael ei gyhoeddi o un ohonynt, sef 'Dirfodaeth yn ddyneiddiaeth [*L'existentialisme est un humanisme*]'.[23] Dengys fod Sartre, gan ddilyn ymresymiad Heidegger, wedi dadlau, yn absenoldeb Duw neu unrhyw fath o natur ddynol hanfodol, mai bywyd 'y dyn unigol yw ei batrwm (*project*) ei hun; yr hyn ydyw yw yr hyn a wna o'i fywyd'.[24] Gwelwn i Sartre ddethol enghreifftiau o'r math o ddewisiadau a wynebodd Ffrancwyr yn ystod yr Ail Ryfel Byd er mwyn atgyfnerthu ei bwyslais ar gyfrifoldeb yr unigolyn i wneud dewis cadarnhaol drosto'i hun, a hefyd i weithio gyda phersonau eraill i wireddu ei amcanion. 'Y mae'n rhaid i ddyn ddewis beth a wna o'i hunan ac o eraill', meddai, 'ac felly ei dasg yw sefydlu patrwm o werthoedd a'i gwahaniaetha oddi wrth y byd materol.'[25] Wrth droi at y sesiwn holi ac ateb yn rhan olaf 'Dirfodaeth yn ddyneiddiaeth', ceisiodd Lloyd danlinellu agwedd o waith Sartre a oedd yn arbennig o werthfawr i'r Gymru gyfoes, yn ei dyb ef. Etyb Sartre y cyhuddiad Marcsaidd nad oes gwarant gyda'r unigolyn a ddilyna'r delfryd dirfodol fod 'dynion eraill yn cyfeirio eu hegnïon i'r un perwyl' trwy ddangos nad oedd gan gefnogwyr yr achos Marcsaidd yn Ffrainc unrhyw warant fod yr un amcanion yn cael eu harddel a'u gwireddu yn Rwsia. 'Ein gobaith gorau o weithio'n effeithiol', credai felly, 'yw o fewn i fudiad o wir gymrodyr yr ydym yn eu hadnabod yn ddigon da i fedru bod yn sicr o'u hamcanion a'u cywirdeb'.[26] Ymhellach, fe ddadleuodd dros 'ymlyniad beirniadol wrth fudiad a chymdeithas nad yw'n rhy fawr i'r unigolyn deimlo ei fod yn cyfrif o'i mewn', a cheir awgrym cryf bod Lloyd yn uniaethu cyngor Sartre gyda'i gefnogaeth o'r mudiad cenedlaethol yn ei ddadl fod hon yn wers bwysig y gellid ei chymhwyso i sefyllfa gyfoes Cymru.[27]

Yn dilyn gwaith arloesol Myrddin Lloyd, cyfeiriodd Ifor Parry yn ei gyfrol ar ddiwinyddiaeth Karl Barth, a gyhoeddwyd yn 1949, at y term Cymraeg ar gyfer yr athroniaeth oedd yn tyfu mewn poblogrwydd bryd hynny:

Am fod y traethawd wedi ei gyfansoddi ers mis Mai diwethaf, ni cheir ynddo gyfeiriad at ddatganiadau Barth yn Amsterdam; nac ychwaith at lyfrau diweddaraf, megis darlithiau Gifford Emil

Brunner, a llyfr Jean-Paul Sartre ar 'Existenialism.' Ar ôl gollwng y gwaith o'm llaw y deëllais, hefyd, mai 'Dirfodaeth' yw gair Cymraeg y dysgodron am 'Existentialism'. Tybiaf ei fod yn fwy cywir, ond nid mor ddealladwy, â'r ymadrodd 'argyfwng bodolaeth'.[28]

Mae ei sylwadau yn ategu dau bwynt pwysig yng nghyd-destun y bywyd deallusol Cymraeg yn y cyfnod hwn. Yn gyntaf, fe ddengys ei gyfeiriad at lyfr Sartre ymwybyddiaeth amlwg ac effro awduron Cymraeg o'r tueddiadau deallusol, cyfandirol diweddaraf, a pha mor barod hefyd oeddynt i'w hystyried; ac yn ail, mae ei awgrym y dylid cynnwys y gair 'argyfwng' wrth gyfieithu 'existentialism' i'r Gymraeg yn tanlinellu pa mor ganolog oedd y syniad bod y ddynoliaeth yn wynebu argyfwng yn gyffredinol yn y cyfnod wedi'r Ail Ryfel Byd.

Ategir y ddau bwynt uchod yn nisgrifiad y gweinidog ac awdur W. T. Gruffudd o'r *Existenz Philosophie* yn ei gyfrol *Crist a'r Meddwl Modern* yn 1951.[29] Fersiwn o draethawd ar 'Gristionogaeth a Thueddiadau Meddyliol yr Oes' a enillodd wobr yn Eisteddfod Genedlaethol Caerffili yn 1950 yw'r gyfrol hon, ac mae ehangder ei chynnwys yn arwydd arall o fywiogrwydd deallusol y cyfnod yn y Gymru Gymraeg. 'Y gwirionedd i ddyn' yn ôl 'Athroniaeth Bodolaeth', meddai Gruffudd, 'yw'r hyn a gyfyd o ddyfnder ei fod mewn argyfwng pan fo'i fodolaeth yn y fantol'.[30] Dengys pa mor amrywiol yw'r syniadau a ellir eu disgrifio fel rhai dirfodol, gan grybwyll meddylwyr mor wahanol â William James, Henri Bergson a'r Apostolion yn y broses, ond pwysleisia eu bod oll yn rhannu'r gred 'na all rheswm o un rhyw' gyrraedd yr unigolyn yn ei argyfwng. 'Y prawf arno', dadleua Gruffudd o ganlyniad, 'yw'r bywyd sydd ynddo a hwnnw'n ddigonol i'r argyfwng'.[31] Fel yn achos seicdreiddiad, roedd syniadau'r dirfodwyr, fe noda wrth gloi ei sylwadau arnynt, wedi agor y drws i 'afresymoliaeth' ac â ymlaen i geisio ail-sefydlu'r berthynas angenrheidiol rhwng rheswm a'r ffydd Gristnogol.

Ceir diffiniad cryno cyffelyb o ddirfodaeth yn ysgrif Jonah Wyn Williams ar athroniaeth Nicolas Berdyaev – ffigwr a fu'n ddylanwad arwyddocaol ar syniadaeth y bardd Waldo Williams – yn 1955.[32] 'Ymatebiad personau i fywyd a'i broblemau ydyw' meddai, 'yn

hytrach nag athroniaeth resymol, statig.'[33] Tanlinella mai 'ffordd
o wynebu bywyd' yw dirfodaeth, nid corff unedig o egwyddorion
athronyddol, ac amcan pennaf dirfodwyr Cristnogol fel Berdyaev
oedd cynorthwyo unigolion i ddelio â'u hargyfyngau personol, a
ddeilliai o'u 'pechod a drygioni'.[34] Roedd athroniaeth argyfwng
Berdyaev a'i rhagflaenwr pwysicaf, Kierkegaard, yn bwysicach
nag erioed, yn ôl Williams, oherwydd '[n]i ellir gwadu nad yw'r
byd mewn argyfwng heddiw'.[35]

Cyfeiriodd yr athronydd ifanc a disglair o Goleg Prifysgol Cymru
ym Mangor, Hywel D. Lewis, yntau at yr 'argyfwng yn enaid dyn'
a oedd wedi dyfnhau ei broblemau economaidd a gwleidyddol
mewn araith Saesneg a droswyd i'r Gymraeg gan Ambrose Bebb
yn 1951.[36] Cyhoeddwyd cyfrol bwysig Bebb ei hun ar *Yr Argyfwng*
yn 1956, blwyddyn wedi ei farwolaeth.[37] Daw Freud o dan y lach yn
araith Lewis am gyfrannu mor sylweddol at yr argraff gyffredinol
cyfoes mai hud a lledrith yw crefydd, a chollfernir rhai o athronwyr
dirfodol mwyaf blaenllaw'r cyfnod yn chwyrn a diamwys. Cyfeiria
at bobl ifanc yr Almaen yn troi'n gynyddol at syniadau 'gwrthun'
a 'dichwaeth' Heidegger a Jaspers.[38] 'Dyma'r ffantasïau ellyllaidd
y mae dynion yn chwarae â hwy heddiw' meddai, 'ac ar gyfer y
rhai mwy cysetlyd a di-syml y mae Sartre, a gais, yn ei nofelau a'i
ddramâu, gwbl-grynhoi gwegi y byd modern, a mynegi athroniaeth
"bod mewn byd ynfyd"'.[39]

Roedd Lewis eisoes wedi beirniadu'r ddirfodaeth fodern yn
rhifyn 1947 o'r *Efrydiau Athronyddol* am awgrymu fod bywyd yn
ei hanfod yn ddiystyr, nes i'r unigolyn roi ei ystyr ei hun iddo,
hynny yw:

> Yn nysgeidiaeth Heidegger a Sartre fe droes yn fateroliaeth ac
> anffyddiaeth ronc, gan wadu unrhyw ystyr a gwerth mewn bywyd
> a heb gynnig odid ddim i ddynion ond eu gollwng eu hunain i
> lif yr un 'dyfod i fod' anniben ag a geir mewn empeiriaeth foel.
> Dirwyn empeiriaeth i'w heithafion digysur a wnaethpwyd yn
> hytrach na rhoddi'r ateb iddo fel y buasid yn disgwyl. Sut y bu
> hyn? Fe ddigwyddodd yn union oherwydd y camddehongli ar yr
> agweddau moesol hynny ar fywyd a fwriwyd i amlygrwydd gan
> Ddirfodaeth – cyfrifoldeb dyn, ei ryddid i ddewis a'i euogrwydd.[40]

Ond fel sylwodd Meirion Roberts yn graff mewn adolygiad o rifynnau 1947 ac 1948 o'r *Efrydiau Athronyddol*, roedd rheswm Lewis dros gollfarnu Heidegger, Sartre a'u tebyg 'ar yr un pryd yn condemnio Dirfodaeth ac yn cydnabod ei gyfraniad' trwy restru'r themâu pwysig a amlygwyd o'r newydd yn eu gwaith.[41] Yn dilyn 'Argyfwng a Datguddiad' Lewis, 'Dyn a'i Dynged' yw teitl arwyddocaol erthygl-adolygiad Roberts, sy'n tanlinellu pa mor gyson oedd y sylw athronyddol a deallusol wedi'i hoelio ar argyfwng dynoliaeth yn y cyfnod wedi'r Ail Ryfel Byd. Rhestra enwau mor wahanol â Kierkegaard, Karl Jaspers, Nicolas Berdyaev a Gabriel Marcel, yn ogystal â Heidegger a Sartre, wrth bwysleisio nad 'enw ar un athroniaeth arbennig ydyw Dirfodaeth'.[42]

Llwydda Roberts i gyfleu neges ganolog dirfodaeth gyfoes Sartre yn arbennig fel a ganlyn:

> Yr hyn a awgrymaf yw nad yw dethol rhwng gwerthoedd yn nhermau rhagoriaeth y naill ar y llall yn rhan angenrheidiol o Ddirfodaeth fel y cyfryw. Yn wir, yn ôl Sartre, yn y dewis ei hun y mae'r gwerth, neu yn hytrach yn y rhyddid a fedd yr hunan i'w greu ei hun a'i brofiadau trwy ei ddewis.[43]

Fel yn achos seicdreiddiad a seicoleg felly, roedd y pwyslais athronyddol newydd hwn wedi canoli'r sylw ar yr hunan a'r unigolyn ar draul corff o egwyddorion crefyddol, rhagordeiniedig. Peryg y pwyslais ar yr hunan a'r dewis unigol serch hynny, yn ôl Roberts, oedd 'ni waeth pa un ai da ai drwg a ddewisir', a chasglodd nad oedd cenadwri'r dirfodwyr yn deilwng o ddatrys argyfwng dynoliaeth yn ei oes.[44] Ond wrth edrych yn ar ôl y cyfnod, gellir dadlau i genadwri Sartre ac eraill ynglŷn â rhyddid sylfaenol yr unigolyn a'r rheidrwydd a'i dilynai iddo neu iddi wneud dewis ac ymrwymo i ryw achos, trwy gael ei ddehongli a'i gymhwyso ar lefel genedlaethol yng ngwaith J. R. Jones ac eraill, fod yn ddylanwad pwysig ar yr ymchwydd mewn ymgyrchu dros yr iaith Gymraeg a'r achos cenedlaethol a welwyd yn yr 1960au yn arbennig.

Cytunodd J. E. Meredith â beirniadaeth Hywel Lewis o'r mudiad yn ei ysgrif ar 'Athroniaeth Hen a Newydd' yn 1950, ond nododd hefyd 'a chydnabod bod elfennau afiach mewn Dirfodaeth, ni ellir ei anwybyddu. Y mae'r ffaith bod dynion mor wahanol a Kierkegaard, Jaspers, Heidegger (gŵr y mae Sartre yn ddyledus iawn iddo) Sartre, Marcel a Lavelle yn teimlo baich yr un problemau yn arwyddocaol.[45] Dengys i Sartre ateb y cyhuddiad o besimistiaeth a wnaed yn ei erbyn drwy fynnu mai 'athroniaeth gweithredu' yw dirfodaeth. Cyfrifoldeb personol oedd ei brif gonsérn, agwedd bwysig o'r athroniaeth ddirfodol credai Meredith 'y tâl i ni feddwl yn ddifrifol amdano'.[46] Cyfeiria at bedair cyfrol ddiweddar gan awduron Ewropeaidd, megis *Existentialist Philosophies* Emmanuel Mounier, a gynigiai drosolwg o syniadau Sartre a'r dirfodwyr eraill, a dengys ei sylwadau y diddordeb roedd eu gwaith wedi sbarduno yng Nghymru a thu hwnt.[47]

Cyplysir syniadau'r dirfodwyr gyda rhai Freud, Jung, Adler a'u dilynwyr yn yr un modd ag y gwnaeth Hywel D. Lewis yn erthygl ddiddorol y Parchedig D. J. Jenkins ar 'Yr Ateb Cristionogol i Sefyllfa'r Byd Meddyliol' a gyhoeddwyd yn *Seren Gomer* tua dechrau'r 1950au.[48] Cyfeiria Jenkins at duedd athroniaeth a seicoleg ei gyfnod i '[d]ynnu dyn i lawr i'r lefelau isaf', ac i fesur popeth yn ôl safonau dynol, unigol, gan nodi mai 'existentialism' yw'r enw a roddwyd i'r duedd hon yn gyffredinol.[49] Sylwa'n graff pa mor amrywiol yw'r meddylwyr y gellir dadlau bod eu syniadau yn gysylltiedig ag *existentialism*, gan restru Bergson, Marx, Nietzsche, Dewey a Kierkegaard yn y broses. Ond yn hytrach nag argymell y dylid gwthio eu syniadau o'r golwg, dadleua y dylid ceisio eu cysylltu â syniadau Cristnogol i gyrraedd y profiad o ddatguddiad: 'drwy awgrymu moddion a chyfryngau i uno gwirionedd "existentialism" a Gwirionedd absoliwt'.[50]

Cydnabu'r gweinidog Methodistaidd, John Price, yntau bwysigrwydd cyfraniad y dirfodwyr cyfoes yn ei anerchiad ar ryddid o gadair y gymanfa ym Methesda ym Mehefin 1954: 'Gwnaeth y Dirfodwyr ddau beth pwysig beth bynnag, sef dwyn athroniaeth i lawr o'r cymylau i'r ddaear galed; a rhoddi pwys mor fawr ar ryddid.'[51] Llwydda hefyd, wrth gyfeirio at syniadau Gabriel Marcel, Karl Jaspers a Nicolas Berdyaev ar y pwnc, i gyfleu'r pwynt dirfodol hanfodol 'mai yn ein perthynas ag eraill y deuwn yn bersonau rhydd'.[52] Cyfeiria yn ail ran ei araith at y darganfyddiadau diweddaraf, o dan arweiniad seicdreiddiad, ynglŷn â'r 'dylanwadau alaethus, erchyll a drygionus yn nyfnderoedd y bersonoliaeth ddynol' wrth ddangos mai 'oddi mewn i gyfanfyd personoliaeth ein hunain' canfyddwn ryddid fel unigolion, yn ôl y ddysgeidiaeth ddirfodol.[53] Cytuna eto â'r dirfodwyr yn ei gyngor mai trwy estyn allan i'r byd o'i amgylch y gall yr unigolyn wneud defnydd o'r rhyddid hwn a'i wireddu. 'Y mae'n rhaid inni geisio rhyddid, ei ennill a'i gadw yng nghanol y byd yma,' meddai i gloi ei araith, 'cartref deddfau diwyro, a phechod, chwedl Miguel De Unamuno'.[54]

Ceir gogwydd dirfodol arwyddocaol ym mhennod J. H. Griffith ar 'Y Dyfodol' yn ei gyfrol *Crefydd yng Nghymru*, a gyhoeddwyd blwyddyn wedi diwedd yr Ail Ryfel Byd.[55] Yn ôl dadl Griffith, roedd seicdreiddiad wedi darganfod syched parhaol y dyn a'r ddynes fodern am ddehongliad ysbrydol o'u bywydau, wrth ddatgelu ar yr un pryd y graddau yr oedd damcaniaethau crefyddol traddodiadol bellach yn annerbyniol ac yn annealladwy iddynt. Roedd y gwrthwynebiad hwn yn broblem gyfarwydd yng Nghymru gyfoes, credai, gan nad oedd y sefydliadau crefyddol yn ymdrin yn ddigon nerthol â phrofiadau ac argyfyngau dirfodol unigolion:

> Tra yw'r Eglwys yn rhy fynych yn ymdroi ym myd haniaethau y mae dynion yn byw, symud a bod ym myd diriaethau. Y mae'n rhaid inni ddisgyn o fyd yr haniaethau i fyd y diriaethau, o'r balconi, chwedl J. A. Mackay, i'r stryd.[56]

Cyfeiria at waith Karl Mannheim a Berdyaev wrth ddadlau bod peryg i'r unigolyn gael ei foddi a'i golli yn 'nhorf-gymdeithas' (*mass society*) ei oes. Un o ganlyniadau pwysicaf datblygiad y dorf-gymdeithas oedd ei anogaeth i'r unigolyn ymwadu â phob cyfrifoldeb personol, ac roedd yr eglwysi yr un mor euog o'r duedd hon yn ei dyb ef. Wrth ddadlau nad oedd 'cyfrifoldeb amhersonol yn Gristionogol', mae'n annog unigolion a'r eglwysi fel ei gilydd i ail-ysgwyddo cyfrifoldeb personol dros eu dyfodol mewn modd a gydsyniai'n agos â neges dirfodwyr blaenaf ei gyfnod fel Sartre a de Beauvoir.[57]

Bu'r ddirfodaeth gyfandirol gyfoes yn ddylanwad cryf ar waith Cylch Cadwgan yn y cyfnod wedi'r Ail Ryfel Byd hefyd: grŵp o lenorion, gweinidogion a ffrindiau dylanwadol y daethom ar eu traws yn y bennod flaenorol. Cyfarfu'r cylch yn rheolaidd yng nghartref Kate Bosse-Griffiths a'i gŵr J. Gwyn Griffiths yn ystod yr 1940au i drafod syniadau o bob math. Adlewyrchodd J. Gwyn Griffiths ar gymhellion y cylch mewn erthygl a ysgrifennodd yn yr 1970au sy'n datgelu eu dyled i'r dirfodwyr:

> Mae profiad personol yn rhan anochel o bob llenyddiaeth arwyddocaol; byddem ni'n teimlo'n aml, yn enwedig wrth ystyried barddoniaeth Gymraeg, fod gorthrwm traddodiad yn tueddu i lesteirio mynegiant o dystiolaeth bersonol. Dyna pam y byddem yn galw'n aml am *gyfoesedd*. Roedd dylanwad y Dirfodwyr arnom yma yn ddiamau: fe hyrddir dyn yn ddi-ddewis i'r byd hwn a'r fodolaeth hon, ond wedi dod fe gaiff gyfle, mewn presennol newydd a sefyllfa arbennig iawn iddo'i hun, i ddewis ei lwybr.[58]

Clywir adlais o un o gysyniadau creiddiol athroniaeth Heidegger, sef *Geworfenheit* neu'r syniad fod yr unigolyn yn cael ei daflu i'r byd yn gwbl ddisymwth a digynllun, yn y dyfyniad uchod ac yn nheitl y gyfrol mae'r erthygl yn rhan ohoni, *I Ganol y Frwydr*.

Dehonglwyd yr athroniaeth ddirfodol yn ddiau gan Gylch Cadwgan fel anogaeth iddynt ymrwymo eu hunain i'r frwydr genedlaethol y taflwyd hwy i'w chanol yn yr ugeinfed ganrif. Dichon i un o aelodau mwyaf disglair y cylch o ran ei ddoniau deallusol, sef Pennar Davies, wneud y math o ddewis dirfodol sy'n ganolog i athroniaeth Sartre yn arbennig trwy ymrwymo'i hun i ysgrifennu'n Gymraeg yn yr 1940au. Fel y dywed J. Gwyn Griffiths mewn ysgrif ar feddwl gwleidyddol a chymdeithasol ei ffrind, 'daeth "pwnc yr iaith" yn fater o *Angst* artistig iddo. Hwyrach bod *Angst* yn air rhy gryf. O leiaf bu'r dewis yn dra phwysig.'[59] Fe'n hatgoffa mai Saesneg oedd mamiaith Davies, ac wedi ei gyfnod yn astudio ym Mhrifysgol Iâl yn yr Unol Daleithiau fe allasai yn hawdd fod wedi dilyn gyrfa lwyddiannus academaidd yn ysgrifennu yn yr iaith honno. Ond canolbwyntiodd ei ddoniau polymathig a'i egni creadigol a deallusol ar ysgrifennu yn y Gymraeg o 1944 ymlaen.

Un o'r amrywiaeth eang o erthyglau a chyfrolau a ddilynodd ei ddewis oedd pamffled i Blaid Cymru gyda'r teitl arwyddocaol, *Y*

Gongl Fach Hon: Am Ddic Siôn Dafydd ac Argyfwng ei Enaid.[60] Er mai pamffled ddychanol, cymharol ysgafn ydyw, awgryma'r is-deitl eto pa mor gyffredin oedd yr ymdeimlad ymysg deallusion Cymraeg y cyfnod bod eu cenedl yn wynebu argyfwng dirfodol yr oedd yn rhaid iddynt ymateb iddi. Ymhelaethodd aelod ieuengaf y cylch ar syniadau ac ysbrydoliaeth y dirfodwyr mewn ysgrif i'r *Llenor* yn 1951. Galwodd Gareth Alban Davies, ffigwr amryddawn a oedd yn hyddysg yn ieithoedd a diwylliant Ffrainc a Sbaen, ar lenorion Cymraeg i ddilyn eu hesiampl o ran eu hymrwymiad i ryddid:

> Cawn fod y dirfodwyr yn Ffrainc hefyd yn ceisio wynebu'r un sefyllfa. Mewn erthyglau ar 'Beth yw Llenyddiaeth' yn *Les Temps Modernes* yn ddiweddar, y mae gan Sartre yr un pwyslais ag eiddo'r Marcswyr a Saunders Lewis ar ddyletswydd gymdeithasol y llenor. Ei air mawr yw *l'engagement*: dylai'r llenor fynd i'r frwydr er mwyn gwarchod a chanmol rhyddid dyn. Beth am lenorion y Gymru Gymraeg?'[61]

Cyfeiriodd Davies, ymhellach, at y modd yr oedd syniadaeth atheistaidd Sartre yn cyfateb â'r ymdeimlad cynyddol yng nghymdeithas gyfoes fod angen canfod esboniad tu hwnt i'r un crefyddol, traddodiadol ar gyfer natur a phwrpas bodolaeth ddynol. Er nad yw'n cytuno â Sartre ar y pwynt hwn, mae'n arwyddocaol iddo grybwyll pwysigrwydd yr angen hwn: cam mentrus i awdur mor ifanc pan gofiwn mai ychydig iawn o ddeallusion Cymraeg oedd wedi ystyried anffyddiaeth yn wrthrychol a chydymdeimladol yn gyhoeddus hyd at yr 1940au. Fel ei gyd-aelodau yng Nghylch Cadwgan, croesawodd gysyniad Sartre o *l'engagment*, gan ddatgan ei barodrwydd i gario'r 'baich o ddarganfod a mynegi'r gwerthoedd newydd' a thrwy hynny dderbyn yr egwyddor dirfodol hanfodol ynglŷn â phwysigrwydd ysgwyddo cyfrifoldeb rhyddid.[62] Priododd Caryl Glyn Jones yn 1952 wedi i'r ddau gyfarfod wrth astudio yn Rhydychen, a bu Jones yn fyfyrwraig cyn hynny am flwyddyn ym Mharis yn yr 1940au hwyr.

Cyfrannodd Jones ysgrif ar 'Athroniaeth yn y Sorbonne Heddiw' i rifyn 1949 o'r *Efrydiau Athronyddol* sy'n rhoi golwg ddiddorol tu hwnt ar dueddiadau deallusol y brifysgol yn y cyfnod hwnnw, yn enwedig dylanwad cynyddol dirfodaeth, a hefyd yn dadansoddi'r tueddiadau hyn mewn ffordd olau iawn. Dywed yng nghyswllt gwaith Sartre ac eraill, er enghraifft, 'mae holl athroniaeth y Dirfodwyr wedi ei chanolbwyntio ar y syniad o fodolaeth bersonol yr hunan. Y person unigol yw'r canolbwynt trwyddi i gyd.'[63] Atega ei sylwadau'r pwynt a wnaed eisoes fod tueddiadau'r cyfnod ym meysydd athroniaeth a seicoleg yn gyffredinol wedi arwain at bwyslais newydd ar yr hunan a'r unigolyn a adleisiwyd ym mywyd deallusol a diwylliannol y Gymru Gymraeg o'r 1930au ymlaen. Ond cyfeiria Jones hefyd at ochr adeiladol y duedd hon, sef y pwyslais newydd – yn dilyn arweiniad Kierkegaard – ar ryddid yr unigolyn a'i allu i ddewis ei dynged. 'A nodwedd gyntaf y person yw bod yn unigolyn; nid crynswth sy'n cyfrif' meddai, wrth grynhoi'r athroniaeth ddirfodol,

> nid y gymdeithas, ond y bod unigol. Ei ail nodwedd yw bod yn rhydd, a rhyddid yn ôl Kierkegaard yw'r gallu i ddewis ein personoliaeth ein hunain. Felly y mae pob unigolyn yn creu ei ddyfodol ei hun wrth ddewis yr hyn y mae am fod . . .[64]

Tanlinella, fel y gwnaeth Myrddin Lloyd o'i blaen, mai nod athronyddol Heidegger 'yw astudio'r *bod sydd i ni* (Dasein) a'r modd o fodolaeth a fwynhawn'.[65] Mae'n crybwyll wrth gloi mai dirfodaeth oedd un o'r ddwy athroniaeth fwyaf poblogaidd yn Ffrainc y cyfnod, ynghyd â'r 'symudiad Catholig' a arweiniodd Jacques Maritain, ac mai cyfres Jean Wahl, un o ddehonglwyr pwysicaf yr athroniaeth hon, o ddarlithoedd oedd ymysg y mwyaf poblogaidd yn y Sorbonne yn ystod ei chyfnod yno. 'Rhoddir lle iddi hyd yn oed yn rhaglen y Brifysgol ei hun' meddai yng nghyswllt darlithoedd Wahl, 'cawn y Sorbonne geidwadol ei thraddodiad yn cydnabod pwysigrwydd athroniaeth nad yw o bell ffordd yn academaidd'.[66]

Ategir ei phwynt ynglŷn â'r cyswllt amlwg rhwng y dirfodwyr â'u cymdeithas tu hwnt i'r byd academaidd gan y ffaith i John Ellis Williams – awdur toreithiog yn y Gymraeg a'r Saesneg o'r 1960au i'r 2000au, gan gynnwys nofelau fel *Hadau Gwyllt* – ymddiddori yn eu syniadau wedi'r Ail Ryfel Byd. Daeth i gysylltiad union-gyrchol â'r mudiad trwy ohebu â Simone de Beauvoir ei hun am nifer o flynyddoedd. Fe aeth Williams a'i deulu i'w chwrdd yn ei chartref ym Montparnasse yn 1971, ar ei gwahoddiad hi.[67] Apeliai neges y dirfodwyr at ddarllenwyr Cymraeg o bob math yn y cyfnod hwn, mae'n amlwg, nid at ddosbarth cul o ddeallusion yn unig. Rhaniad artiffisial yw'r un rhwng deallusion a darllenwyr cyffredinol yn y cyfnod dan sylw, yn arbennig gan fod trafod syniadau newydd – a oedd yn aml yn rai astrus ac anodd ar yr olwg gyntaf, fel rhai'r dirfodwyr – yn rhan gyffredin o fywyd cym-deithasol yn y Gymru Gymraeg drwy ddosbarthiadau'r efrydiau allanol a Chymdeithas Addysg y Gweithwyr, a thrwy gryfder ac amrywiaeth y diwylliant Cymraeg yn fwy cyffredinol. Cynigiwyd gofod, o ganlyniad, i drafod athroniaeth astrus Berdyaev, ymhlith meddylwyr mawr eraill y cyfnod, yng nghylchgrawn Cymdeithas Addysg y Gweithwyr.[68]

Darllenodd Kate Roberts nofelau Sartre ac Albert Camus, un arall o brif feddylwyr athroniaeth gyfoes yn Ewrop yr 1940au a'r 1950au, a gellir dadlau iddynt fod yn ddylanwad pendant ar ei nofelau seicolegol eu naws yn y cyfnod hwn. Sylwodd mewn ysgrif ar y nofel gyfoes, sy'n datgelu pa mor eang ac eclectig oedd rhych-want ei darllen, fod eu gwaith yn adlewyrchu'r her i safonau moesol traddodiadol a ddilynodd yr Ail Ryfel Byd ledled Ewrop, a dirywiad cyffredinol cysylltiedig yr ymdeimlad o bechod. 'Yn Ffrainc mae pobl fel Sartre a Simone de Beauvoir', meddai, o ganlyniad, 'yn gwadu hawl teulu arnoch, a chlywsom ddrama o'r Cyfandir wedi ei chyfieithu i'r Gymraeg ar y radio yn ddiweddar, lle y dadleuid dros lofruddio'.[69] Argyfwng dirfodol yr unigolyn o fewn y cyd-destun hwn, a'r dewis sy'n ei wynebu i geisio gwneud ystyr o lanast ymddangosiadol ei fywyd sy'n cael ei ddarlunio yn *Tywyll Heno* a *Stryd y Glep* fel yn *La Nausée* Sartre a *L'Étranger* Camus.

Adolygodd Caryl Glyn Jones un arall o nofelau Camus, sef *La Peste* (Y Pla), i'r *Traethodydd* yn 1950, ynghyd â *L'Etat de Siege* (Dinas dan Warchae), un o'i ddramâu.[70] Unwaith eto, fel yn achos ysgrifau Myrddin Lloyd ar y dirfodwyr Ffrengig, y fersiynau gwreiddiol o'r gweithiau hyn mae'n eu trafod, yn hytrach na'r cyfieithiadau

Saesneg ohonynt oedd wedi dechrau ymddangos erbyn hynny. Dengys mai dameg o deyrnasiad bwystfilaidd y Natsïaid yn Ffrainc yw'r pla sy'n taro dinas Oran yn nofel Camus ac mai parodrwydd yr unigolyn i ymrwymo i'w ymladd yw'r ateb dirfodol mae'n ei gynnig. 'Nid gwir inni ddibynnu ar ddim o'r tu allan i'n hachub', meddai; 'ein hunig obaith yw ein hymwybyddiaeth ni ein hunain o natur y Pla, a'n hymdrechion i'w goncro'.[71] Er ei bod yn nodi nad yw'n rhannu anffyddiaeth Camus, fe gydnabu fod ei weithiau creadigol yn cynnig dadansoddiad pwysig o argyfwng dynoliaeth wedi'r Ail Ryfel Byd.

I un o athronwyr pennaf Cymru yn y cyfnod dan sylw, serch hynny, roedd pwyslais cyson y dirfodwyr cyfoes ar yr argyfwng uchod yn gam yn rhy bell. Dadleuodd R. I. Aaron, wrth adolygu cyfrol Ronald Grimley ar *Existentialist Thought*, a gyhoeddwyd gan Wasg Prifysgol Cymru yn 1956, fod modd canfod gwirionedd trwy ffyrdd amgen na'r profiad o argyfwng personol yn unig:

> Ffrwyth argyfwng yr ugeinfed ganrif yw Dirfodaeth. Ac eto, oni ellir gorbwysleisio gwerth gweledigaeth argyfwng? Efallai fod y gwirionedd i'w weled yn yr 'awr dawel,' chwedl Butler, yn ogystal ag yn yr awr dyngedfennol. Tybed, wedi'r cyfan, ai mewn Arswyd y mae cyfrinach bywyd? Ac ai mewn cyfyngder yn unig y deuir o hyd i wirionedd?[72]

Er iddo amau dichonolrwydd dirfodaeth fel athroniaeth i'r Cymry, nododd hefyd fod y mudiad wedi cyflawni tasg ddeallusol bwysig trwy dynnu sylw o'r newydd at 'gyflyrau meddwl a anghofiwyd gan athronwyr' megis 'y dewis, y teimlo a'r ewyllysio'.[73] Dichonol neu beidio, roedd syniadau'r dirfodwyr cyfoes mwyaf blaenllaw, fel Sartre, yn adnabyddus iawn yng Nghymru erbyn yr 1950au hwyr, yn ôl ysgrif ar 'Uffern yr Ugeinfed Ganrif' a gyfrannodd Alun Page i'r cylchgrawn diwylliannol, *Y Genhinen*, yn 1958. 'Tebyg fod llawer yng Nghymru wedi gweld llwyfannu'r ddrama un act *Huis Clos*,' meddai, 'neu, o leiaf, cawsant gyfle i'w ddarllen mewn cyfieithiad Saesneg. Dyma syniad Sartre am uffern nodweddiadol yr ugeinfed ganrif.'[74] Roedd Page yn sylwedydd craff ac eang ei orwelion ar dueddiadau deallusol a diwylliannol Cymru'r cyfnod wedi'r Ail Ryfel Byd, a lluniodd amrywiaeth o erthyglau byr yn trafod syniadau Sartre, Camus a'u dilynwyr. Barnodd mai dim ond 'optimistiaid proffesiynol a deillion diwylliannol yr oes' fyddai'n gwadu'r darlun tywyll o'r ddynoliaeth a gyflwynodd Sartre yn *Huis Clos*, gyda dyfarniad enwog un o gymeriadau'r ddrama mai uffern ydyw pobl eraill.[75]

Fel amryw o sylwedyddion Cymraeg eraill o blith yr enwadau crefyddol a thu allan, er nad oedd Page yn rhannu daliadau an-ffyddiol Sartre, de Beauvoir a'u dilynwyr dirfodol, credai fod o bwys sylweddol i'r Cymry ystyried eu syniadau a cheisio tynnu peth ysbrydoliaeth ohonynt. Ymhellach, nododd yn arwyddocaol, wrth gyfeirio at y ddiwinyddiaeth ddirfodol a ddatblygwyd yng ngwaith Paul Tillich ac eraill yn yr 1950au mai 'pennaf trueni y byd modern yw ei ddiffyg ystyr'.[76] Roedd gwaith y dirfodwyr anffyddiol a chrefyddol wedi annog ymdeimlad newydd o 'hunan-ymholiad' yn wyneb argyfwng y ddynoliaeth wedi'r Ail Ryfel Byd, a chasglodd mai'r unig gysur a geir yn eu gwaith 'yw mai ar lefel ddirfodol yr hunan-ymholiad creulon hwn y ceir hefyd barod-rwydd i wrando rhai o'r atebion cyflawn'.[77] Datblygodd deallusion eraill Cymraeg, fel J. R. Jones yn bennaf, ddadansoddiad mwy cyflawn yn yr 1960au o'r argyfwng diwinyddol a ddarluniodd Tillich ac eraill yn eu gwaith, fel y gwelwn.

Yn ei gyfrol werthfawr a goleuedig ar rai o feddylwyr mwyaf yr ugeinfed ganrif, *Clywsoch yr Enw*, a gyhoeddwyd yn 1966, rhydd Cyril G. Williams y diffiniad arwyddocaol canlynol o ddirfodaeth: 'Agwedd yw yn fwy nag athroniaeth, a honno'n codi o amgylch-iadau argyfyngus ein hoes.'[78] Gwnaeth Williams, a oedd yn ddarlith-ydd mewn diwinyddiaeth ac awdur cyfrol arall arloesol yn y Gymraeg yn yr un cyfnod, *Crefyddau'r Dwyrain*, felly gysylltiad uniongyrchol rhwng dirfodaeth â'r argyfwng cyffredinol wedi 1945 yr oedd ei genhedlaeth mor sicr o'i ddylanwad.[79] Ceir dadan-soddiad deallus o'r prif syniadau dirfodol yn ei bortreadau o Kierkegaard, Tillich, a dau ddiwinydd arall pwysig o'r un cyfnod, sef Martin Buber a Rudolf Bultmann.

Erbyn yr 1960au, roedd enwogrwydd syniadau'r dirfodwyr wedi cyrraedd ei huchafbwynt ym Mhrydain, yn rhannol trwy ddehongliad poblogaidd rhai o isddiwylliannau ieuenctid newydd yr 1950au, fel y bitnics ac awduron y *Beat Generation* ohonynt ar ddwy ochr yr Iwerydd, gyda Jack Kerouac a Colin Wilson ymhlith y mwyaf dylanwadol.[80] Gallai'r Dafydd Elis Thomas ifanc, a oedd yn fyfyriwr prifysgol ym Mangor ar y pryd, honni'n ddigon teg yn 1964 felly: 'daeth yr athroniaeth y ffurfiodd ef [Kierkegaard], dan yr enw Dirfodaeth (Existentialism), er colli elfennau Cristionogol, yn brif athroniaeth ein cyfnod'.[81] Darparwyd cyfieithiad Cymraeg o gyflwyniad Karl Jaspers, athronydd a seiciatrydd blaenllaw o'r Almaen, i syniadau Kierkegaard ddegawd ynghynt yn *Y Traethodydd*.[82] Roedd gweithiau dirfodol enwocaf y cyfnod wedi'r Ail Ryfel Byd yn sicr wedi cyrraedd cynulleidfa Gymraeg erbyn yr 1950au hwyr, gan gynnwys Kate Roberts, fel y nodwyd eisoes, a gyfeiriodd atynt yn achlysurol yn ei herthyglau a nofelau. Dywed John Emyr yn ei astudiaeth o'i gwaith mai darllen nofel Sartre, *La Nausée*, 'oedd un o'r profiadau a ysgogodd Kate Roberts i sgrifennu *Stryd y Glep*'.[83]

Yn ei erthygl ar Sartre yn 1968 sonia Alun Page ynglŷn â'r modd yr oedd ei syniadau wedi gafael 'yn nychymyg cenhedlaeth a wrthodai ffydd eu tadau'.[84] Erbyn hynny, meddai, roedd amryw o syniadau Sartre a'i debyg – bod bywyd yn ddiystyr, bod Duw wedi marw, bod y byd 'yn gybolfa' – wedi dod yn ymadroddion poblogaidd a chyffredin. Ond yn wahanol i'r 'beatniks dirfodol' nihilaidd a gamddeallodd y syniadau hynny, roedd Sartre yn awdur athrylithgar ym marn Page ac yn 'un â berthyn i draddodiad y Groegiaid mewn mwy nag un agwedd ar ei ddysgeidiaeth nag i lwch a lludw'r academiaid di-fflach'.[85] Yn yr un blwyddyn, neilltuwyd cyfran sylweddol o rifyn Ebrill o'r *Traethodydd* i drafod gwaith y mudiad athronyddol roedd Sartre yn rhan ohono ac i asesu 'Cyfraniad Dirfodaeth' yn weddol ffafriol.[86] Yn ôl John Owen roedd ieithwedd a therminoleg arbennig, wreiddiol y Dirfodwyr wedi cynnig ystyr newydd i drafodaethau athronyddol a diwinyddol a fu cyn hynny'n gynyddol farwaidd. 'Rhoddodd dirfodaeth arwyddocád cosmig i dermau esoterig', meddai, 'gan roi tir cyffredin dan draed y crefyddol a'r anghrefyddol.'[87]

Darlledwyd trafodaethau deallus a manwl o weithiau Sartre a Camus yn y Gymraeg ar wasanaeth radio'r BBC dwy flynedd ynghynt fel rhan o gyfres ar 'Y Llenor yn Ewrop'.[88] Dychwelodd

Myrddin Lloyd at ei ddiddordeb yn nirfodaeth yn ei sgwrs ar Sartre, gan gynnig crynodeb ddefnyddiol o brif dermau ei athroniaeth. 'Un o'i eiriau mawr' meddai, er enghraifft, 'yw *ymgydiad (engagement)* – fel y bydd y *clutch* yn ymgydio neu'n ymafael yn y peiriant modur'.[89] Yn ei sgwrs yntau ar Camus, er iddo danlinellu'r gwahaniaethau rhwng y meddwl Ffrengig a'r meddwl Cymreig, cymeradwyodd Roy Lewis ei gyfrol *L'Homme révolté* (Y Gwrthryfelwr) yn arbennig, gan honni: 'Petai cyfieithiad Cymraeg ohono ar gael, y mae'n hawdd dychmygu *L'Homme révolté* yn ennill ei le fel gwerslyfr yn Ysgolion Sul Cymru.'[90] Nodir bod cyfieithiad Cymraeg o un o ddramâu Camus wedi ymddangos y flwyddyn honno, ac fe'i dilynwyd yn 1972 gan gyfieithiad Bruce Griffiths o'i nofel enwocaf, *L'Étranger*.[91] Er y diddordeb o du ysgolheigion Cymraeg yng ngweithiau llenyddol Sartre a Camus, efallai mai yn niwinyddiaeth Gymraeg y cyfnod hwn y gwelwyd dylanwad dirfodaeth yn fwyaf cryf, yn bennaf syniadau'r meddyliwr Almaeneg Paul Tillich.

Diwinyddiaeth ddirfodol

Yn ogystal â syniadau'r dirfodwyr anffyddiol fel Sartre, de Beauvoir a Camus, daeth syniadau diwinyddion dirfodol mwyaf dylanwadol y cyfnod, fel Tillich a Rudolf Bultmann, i amlygrwydd cynyddol yn wasg enwadol a seciwlar Gymraeg y cyfnod wedi'r Ail Ryfel Byd. Harri Williams oedd un o ladmeryddion mwyaf sensitif a threiddgar diwinyddiaeth ddirfodol Tillich, a chyfrannodd nifer o ysgrifau ar ei syniadau i gyfnodolion fel *Y Traethodydd* yn yr 1950au a'r 1960au. Bu Williams yn weinidog yng ngogledd Cymru yn yr 1950au, cyn cael ei apwyntio'n bennaeth yr Adran Fugeiliol yng Ngholeg Diwinyddol Aberystwyth yn 1964. Yn ei gyfrol werthfawr, *Y Crist Cyfoes: Astudiaeth o Saith Diwinydd Diweddar*, dengys Williams i Tillich fenthyg a datblygu dadansoddiad dirfodwyr ei gyfnod ynglŷn ag argyfwng y dyn neu ddynes fodern, yn bennaf oll ei bryder *(anxiety)*, mewn llyfrau pwysig fel *The Courage to Be*. Darlunnir tri math arbennig o bryder yng nghyfrol Tillich a nodweddai'r ddynoliaeth yn ystod gwahanol gyfnodau

hanesyddol: yn ei ddyddiau cynnar, pryder am dynged a marwol-
aeth; pryder am euogrwydd a barnedigaeth yn yr Oesoedd Canol,
yn wyneb pwyslais crefyddol yr oes ar 'ddicter Duw'; a phryder
am wacter a cholli ystyr y dyn a'r ddynes fodern.[92] Dengys, ym-
hellach, i Tillich gyfuno'r pwyslais dirfodol ar bryder yr unigolyn
gydag agweddau o seicoleg newydd hanner gyntaf yr ugeinfed
ganrif i'w geisio'i leddfu. Daw seicdreiddiad a dirfodaeth i gysyllt-
iad agos â'i gilydd yn ei waith felly, a chymeradwyir y cydblethu
hwn yn ysgrifau Harri Williams.

Roedd un o ddeallusion eraill Cymraeg mwyaf llwyddiannus
y cyfnod wedi'r Ail Ryfel Byd, sef John Heywood Thomas, wedi
dod i gysylltiad personol â Tillich wrth astudio yn Efrog Newydd
yn yr 1950au cynnar. Cyfrannodd ysgrifau pwysig i amryw o
gyfnodolion Cymraeg ar ei syniadau, o ganlyniad, yn yr 1950au
a'r 1960au. Cyfeiriodd at ddatblygiad seicotherapi ddirfodol yn
yr Unol Daleithiau a Phrydain yn un ohonynt yn 1967: 'Y mae
Rollo May yn un enghraifft o'r pwyslais newydd ar ddeall dirfodol
mewn seicoleg feddygol. Cyfeiria Dr Laing, o'r Tavistock Institute,
droeon at Tillich yn ei ysgrifeniadau, a gwnaeth astudiaeth o'i
syniad am bryder.'[93]

Rhannodd yr athronydd o Brifysgol Abertawe, J. R. Jones, ddi-
ddordeb Harri Williams a John Heywood Thomas yn syniadau
Tillich, a gwnaeth ddefnydd trwm ohonynt wrth lunio ei ymateb
ei hun i argyfwng ysbrydol y cyfnod wedi'r Ail Ryfel Byd. Gwnaeth
gyfeiriad i'r athroniaeth ddirfodol sy'n nodweddiadol o'i wreidd-
ioldeb idiosyncratig mewn cyfraniad nas ei chyhoeddwyd i gyfres
radio *Llais y Lleygwr* yn 1965:

> A rhaid deall hyn yn gyntaf, nid ar y gwastad personol a moesol,
> sef yn nhermau 'pechod' a 'maddeuant', ond ar wastad bodolaethol
> ('existential'): y mae ar ddyn angen y sicrwydd nad ydyw wedi ei
> gau allan o'r hawl i le, neu droedle, mewn Bodolaeth – nad ydyw
> wedi ei wahanu a'i estroneiddio oddi wrth galon Bod.[94]

Yr un rhaniad rhwng tri math o bryder a ddisgrifiodd Harri
Williams yn ei ysgrifau ar Tillich yw'r sail i ddadansoddiad
enwog a dylanwadol J. R. Jones o'r 'Argyfwng Gwacter Ystyr', a

ddarlledwyd gyntaf fel darlith radio yn 1963.[95] Nododd bod gwaith
y dirfodwyr yn gyffredinol, yn ogystal â dehongliad arbennig
Tillich o'r athroniaeth, yn ei feddwl pan luniodd y ddarlith wrth
ymateb i'r feirniadaeth a dderbyniodd wedi iddi gael ei chyhoeddi:

> Lled-ddwrdiodd Saunders Lewis fi yn y *Western Mail* am beidio
> rhoi'r sylw a ddyry Tillich i'r Dirfodaethwyr (*Existentialists*). Fy
> niffyg gwybodaeth fanwl fy hun amdanynt a barodd i mi betruso.
> Ond roedd eu nihiliaeth hwy a phethau fel Theatr yr Absurd a'r
> arlunio a'r cerflunio erthylus a llurguniol, yn wastad yn fy meddwl
> pan ddisgrifiwn y cyfnod hwn (gyda Tillich) fel un a oddiweddwyd
> gan 'wacter ystyr'.[96]

Mae ystod eang y toriadau o bapurau newydd a chylchgronau'r
cyfnod sydd ym mhapurau Jones yn y Llyfrgell Genedlaethol
yn dystiolaeth huawdl o'i ddiddordeb byw yn nhueddiadau ei
oes yn ddiwylliannol a chymdeithasol, yn ogystal â'i briod faes
athronyddol. Ceir erthyglau yn eu plith ar syniadau dylanwadol
yr athronydd o Ysgol Frankfurt, Herbert Marcuse, ochr yn ochr â
darnau ar isddiwylliannau ieuenctid newydd yr 1960au, fel y 'mods'
a'r 'rockers'.[97] Un o gryfderau gwaith Jones mewn gwirionedd
yw'r modd y llwyddodd i dynnu ar ddylanwadau syniadaethol a
deallusol o gynifer o gyfeiriadau, gan eu cymhywso'n benodol i
ddibenion ei ddiagnosis o'r meddwl a'r enaid Cymraeg.

Ysgogodd ddadansoddiad Jones o'r argyfwng ysbrydol wedi'r
Ail Ryfel Byd ddadl fywiog a weddol ffyrnig yn y wasg Gymraeg,
gydag amryw o ddeallusion mwyaf blaenllaw'r cyfnod fel y diwin-
ydd R. Tudur Jones a'r athronydd Dewi Z. Phillips yn lleisio eu barn.
Dengys Dewi Eirug Davies, yn ei amlinelliad manwl o'r drafodaeth
hon, bod R. Tudur Jones wedi amau'r tueddiad yng ngwaith J. R.
Jones ac eraill i fenthyg syniadau Tillich a'i debyg gan fod y profiad
o wynebu bygythiad dirfodol i fodolaeth eu cenedl eisoes yn un
cyfarwydd i'r Cymry yn ei dyb ef.[98] Gellir dadlau, serch hynny, mae
miniogi a chryfhau dadansoddiad y deallusion hyn o'r argyfwng
dirfodol a ddaeth i'r amlwg yn y Gymru Gymraeg wedi'r Ail Ryfel
Byd a wnaeth eu defnydd o syniadau Tillich a meddylwyr cyfan-
dirol eraill. Gwelir hyn yn y bennod nesaf wrth drafod gwaith

pwysicaf a mwyaf dylanwadol J. R. Jones, sef *Prydeindod*. Cyfeiriodd Jones eto at bwysigrwydd sicrhau 'troedle mewn bodolaeth' i'r unigolyn 'i'w rhyddhau o'r maglau a'r brwydrau moesol a seicopathig' mewn ysgrif yn 1967, ac yn gyffredinol cydsyniai â syniadau Tillich ynglŷn â gwerth seicolegol allweddol y broses o gynnig derbyniad diamod iddo neu iddi.[99]

Cyffelybodd John Gwilym Jones syniadau J. R. Jones â rhai'r dirfodwyr yn ei deyrnged iddo yn 1970, ac adlewyrcha ei sylwadau pa mor drwm o dan eu dylanwad yr ydoedd ef ei hun fel meddyliwr: 'Ond i mi mae'n ymddangos yn nes os yr un i ddirfodwyr angenrheidiol fel Sartre, Camus a Beckett, i enwi dim ond tri o'r rhai mwyaf adnabyddus.'[100] Awgrymir un o'r egwyddorion dirfodol mwyaf canolog yn nheitl ei nofel gyntaf, *Y Dewis*, ac mae'r dewis sy'n wynebu pob unigolyn ar adegau tyngedfennol yn ei fywyd i greu ystyr o'i fewn yn thema sy'n brigo i'r wyneb yn y mwyafrif o'i ddramâu a gweithiau llenyddol eraill. Ateb dirfodol i argyfyngau ei gymeriadau, felly, mae'n ei gynnig gan amlaf. Pan ddywed Meurig wrth Gwyn ei fod mewn peryg o golli ei etifeddiaeth yn stori'r 'Cymun' yn *Y Goeden Eirin*, er enghraifft, etyb Gwyn trwy haeru: 'Yr unig etifeddiaeth gwerth ei chael yw'r un a enillwch chi i chi eich hun.'[101] Dyma graidd yr athroniaeth ddirfodol wedi crynhoi yn y Gymraeg mewn brawddeg.

Ymhelaethodd ar y berthynas rhwng syniadau'r dirfodwyr amlycaf a'i waith creadigol wrth adolygu dwy o'i ddramâu ei hun i gylchgrawn *Lleufer* yn 1959, ac fel y gwelwyd eisoes yn achos ymdriniaeth awduron Cymraeg â seicdreiddiad, datgela iddo ddod i gasgliadau tebyg iddynt heb o reidrwydd fod yn ymwybodol o'u gwaith:

> Yr un pwnc yn union sydd i *Lle Mynno'r Gwynt* a *Gŵr Llonydd*, sef fod argyfwng – rhyfel yn y naill a dychweliad Robin yn y llall – yn gorfodi pobl i wynebu ei gilydd a hwy eu hunain a dewis. Erbyn hyn rwyf yn adnabod hyn fel athroniaeth Kierkegaard a Sartre, dau Ddirfodwr, y naill yn Gristion a'r llall heb fod. Pan ysgrifennwyd *Lle Mynno'r Gwynt* nid oeddwn erioed wedi clywed sôn am yr un o'r ddau, ond nid oedd angen i Gymro o f'oed i wedi ei fagu yn yr Ysgol Sul wybod dim amdanynt. Y mae 'bwlch argyhoeddiad' yn rhan o ymwybod anymwybodol pob un ohonom ni.[102]

Cawn ein hatgoffa o'i ddiddordeb mewn seicdreiddiad yn ei gyf-
eiriad at anymwybod torfol y Cymry, ac awgryma ei adolygiad y
modd yr oedd awduron a deallusion Cymraeg yn cynnig atebion
eu hunain i'r argyfwng rhyngwladol yn yr 1930au a'r 1940au a
adlewyrchai ac adleisiai rhai'r dirfodwyr cyfoes a meddylwyr
blaenllaw eraill, heb ym mhob achos eu benthyg a'u hail-ddehongli'n
uniongyrchol.

Y dewisiadau a'r penderfyniadau sy'n wynebu unigolion o fewn
sefyllfa deuluol benodol, a'r brwydrau seicolegol sydd ymhlyg yn
y broses o'u cyrraedd yw thema *Lle Mynno'r Gwynt* (1945) a *Gŵr
Llonydd* (1956) ill dau.[103] Yr un frwydr fewnol i wneud dewis sy'n
cael ei ddadansoddi ar lwyfan hanesyddol lawer mwy eang yn ei
ddrama ynglŷn â bywyd Morgan Llwyd, *Hanes Rhyw Gymro*.[104]
Mae'n ddiddorol nodi iddi gael ei pherfformio gyntaf dair blynedd
wedi i John Osborne gael ei ysbrydoli i ysgrifennu ei ddrama ar
fywyd Martin Luther yn 1961 ar ôl darllen seico-fywgraffiad (*psycho-
biography*) arloesol y seicdreiddiwr Erik H. Erikson ohono.[105]

Erbyn cyhoeddi ysgrif Jones ar y ddrama gyfoes yn 1964 fe'i
cawn yn disgrifio dirfodaeth fel athroniaeth 'ein dyddiau ni' wrth
ddadansoddi'n gelfydd ei ddylanwad ar weithiau Samuel Beckett
a Ionesco.[106] Roedd dramâu cewri theatr yr absẃrd, fe ddengys ym-
hellach, yn adlewyrchu'r ffaith gyfoes 'mai awyrgylch gyffredinol
yr oes yw un o anobaith ac anghrediniaeth', yng nghysgod erchyll-
terau'r rhyfeloedd byd.[107] Gwreiddioldeb mwyaf John Gwilym
Jones mewn cyd-destun Cymraeg yw iddo beidio gweld y newid
hwn fel un negyddol yn ei hanfod. Yn yr adolygiad o gyfrol olaf
J. R. Jones, *Ac Onide*, a ddyfynnwyd uchod, er ei fod yn cydnabod
nerth ei bortread o'r Duw Absennol mae'n cwestiynu a oes ei angen
ar y ddynoliaeth bellach. I orchfygu'r amheuaeth gyfoes fod bywyd
yn ddiystyr, gofynnai,

> onid oes ffordd o gredu a eill fod yr un mor effeithiol greadigol, yr
> un mor eiddgar ei 'agape' fod y cwbl yn ddiystyr ac nad oes Duw
> o unrhyw fath? Mewn geiriau eraill, onid yw'n bosibl rhoi ystyr i'r
> diystyr? Oni ellir derbyn gwacter fel y cyflwr anorfod o ddiystyr
> i'w lenwi ag ystyr?[108]

Cyhoeddwyd ei sylwadau ar *Ac Onide* yn 1970, diwedd y cyfnod sydd dan sylw yn y gyfrol hon, ac fe ellir dadlau mai'r anffyddiaeth a'r amheuaeth ynglŷn â chredoau Cristnogol traddodiadol – yn sgil dylanwad dirfodaeth, seicoleg fodern ac amryw o ffactorau diwylliannol a chymdeithasol eraill – y bu'n un o'r awduron Cymraeg cyntaf i'w fynegi mor ddiamwys fyddai'n nodweddu'r degawdau a ddilynodd yng Nghymru a thu hwnt. Mae ei ddehongliad gobeithiol o waith J. R. Jones yn nodweddiadol hefyd o barodrwydd a phenderfyniad awduron Cymraeg ei genhedlaeth i ddwyn ysbrydoliaeth o gyfeiriadau deallusol amrywiol ac eang, ac i gymhwyso'r syniadau newydd hyn i'w diwylliant er mwyn canfod atebion i'r problemau penodol a wynebai'r diwylliant hwnnw. Canolbwyntir ar y modd y gwnaeth J. R. Jones hynny yn ei waith ei hun yn y bennod nesaf.

4

Cyfannu'r Rhwyg: Seicoleg yng Ngwaith J. R. Jones

Canolbwyntir ar J. R. Jones yn benodol yn y bennod hon gan mai'r athronydd o Bwllheli yw'r ffigwr mwyaf nodweddiadol o duedd deallusion Cymraeg ei oes i ymyrryd mewn ffordd bwrpasol a defnyddiol ym materion gwleidyddol a diwylliannol mwyaf dyrys eu cymdeithas, tuedd a ddaeth i'r amlwg yn gynyddol yn ei yrfa wrth iddi ddod i'w derfyn cynamserol yn 1970. Bu deallusion eraill amlwg o'r cyfnod, fel Pennar Davies, R. Tudur Jones ac Alwyn D. Rees, yn gefnogwyr ffyddlon i'r mudiad iaith yn fwyaf arbennig wrth iddi fagu nerth yn yr 1960au. Ond J. R. Jones oedd y ffigwr deallusol y bu ei syniadau'n fwyaf o ysbrydoliaeth i'r genhedlaeth ifanc yn arbennig.

Gwelwyd yn y bennod flaenorol sut y defnyddiodd syniadau dirfodol yn ei ddadansoddiad o argyfwng ysbrydol ei oes. Ond mae ei ymwneud â seicoleg, a syniadau Freudaidd yn benodol, yn agwedd lawer llai cyfarwydd o'i waith. Serch hynny, fe ellir dadlau fod yr ymwneud hwn, a nodweddai ei yrfa o'i ddyddiau cynnar yn yr 1940au hyd ei ddiwedd yn yr 1960au hwyr, yn llinyn cyson sy'n rhedeg o dan y wyneb trwy gydol ei waith. Ystyriwyd ym mhennod 3 sut yr ymddiddorodd J. R. Jones yng ngwaith Paul Tillich yn benodol: ffigwr deallusol rhyngwladol allweddol yn y cyfnod dan sylw a briododd agweddau pwysig o ddirfodaeth a seicoleg fodern yn ei ddiwinyddiaeth. Tra bod y cyswllt rhwng gwaith y ddau yn weddol adnabyddus a chydnabyddedig, mae ei ddiddordeb mewn seicoleg wedi cael ei esgeuluso i raddau helaeth yn yr ymdriniaethau beirniadol â'i waith.[1] Dadansoddir y diddordeb hwnnw yn y bennod hon er mwyn dangos sut y

llwyddodd, mewn modd nid annhebyg i Tillich, i gydblethu dylan-
wadau o du seicoleg fodern ac o du'r dirfodwyr yn ei ysgrifau
crefyddol a gwleidyddol.

Fel un o athronwyr Cymreig mwyaf gwreiddiol a dylanwadol
yr ugeinfed ganrif yr adnabyddir J. R. Jones yn bennaf heddiw.
Ond fel darlithydd ifanc yn yr 1940au bu'n dysgu cwrs mewn
seicoleg i oedolion ar ran adran efrydiau allanol coleg y brifysgol
yn ardal Aberystwyth, a thrafododd syniadau arloeswyr y maes,
fel Sigmund Freud, Alfred Adler a Carl Jung, yn ei waith cyhoedd-
edig o'r cyfnod hwn. Ymhellach, ceir ffeiliau a llyfrau nodiadau
o'r un cyfnod, ynghyd ag ysgrifau ac erthyglau anghyhoeddedig,
ymhlith ei bapurau yn Llyfrgell Genedlaethol Cymru sy'n datgelu
pa mor ddwfn a soffistigedig oedd ei ddealltwriaeth o seicoleg.[2]
Ceisiaf ddangos pa mor debyg oedd rhai o'i syniadau am seicoleg
i eiddo deallusion tramor, megis Erich Fromm ac Erik Erikson, yn
yr un cyfnod. Dylid nodi bod Jones yn Farcsydd yn yr 1940au, a
dadleuaf iddo wneud ymgais nid annhebyg i Fromm a'i gymar
yn Ysgol Frankfurt, Herbert Marcuse, i gyfuno syniadau Sigmund
Freud a Karl Marx. Trwy ganolbwyntio ar ei ddadleuon ynglŷn
ag awdurdodaeth a thotalitariaeth, gobeithiaf amlygu perthnasedd
a phwysigrwydd y syniadau hyn yng ngolau datblygiadau gwleid-
yddol yn Ewrop ag Unol Daleithiau'r America dros y ddegawd
diweddaraf yn fwyaf arbennig.

Ceir ysgrif gyhoeddedig bwysicaf a manylaf J. R. Jones ar seicoleg
a seicdreiddiad yn *Credaf* (1943).[3] Casgliad o dystiolaeth Gristionogol
unigolion nodedig fel Gwenallt, Norah Isaac a Gwenan Jones o
dan olygyddiaeth J. E. Meredith yw'r gyfrol hon, ac yng nghyfraniad
Jones, a oedd yn ddarlithydd athroniaeth ifanc yn Aberystwyth
ar y pryd, amlinellir y camau a arweiniodd at y dadrithiad cyfoes
yn yr hyn a eilw'n 'y ffydd yn naioni dyn a'r ymddiriedaeth yn ei
resymoldeb' gyda'i dreiddgarwch nodweddiadol.[4] Y Rhyfel Byd
Cyntaf yw'r cam cyntaf mae'n nodi, a gwaith seicdreiddwyr blaen-
llaw fel Freud, Adler a Jung yw'r ail. Roedd darganfyddiadau'r
cewri seicdreiddiol hyn wedi disodli hyder yr hen feddyleg dra-
ddodiadol mai rheswm oedd yn llywodraethu'r unigolyn. Yn sgil
eu gwaith meddai:

Cafwyd golwg newydd arno a'i dangosai yn greadur afiach gyda phlygion tywyll o'i fewn, a'i feddwl, yn Ymwybod ac Anymwybod, wedi ymrannu yn ei erbyn ei hun. Darganfuwyd ynddo ryfel a gyfyd oblegid atal galwadau taeraf ei Anymwybod, galwadau Rhyw a galwadau Hunan, gan y rhaid a osodir arno, ac a esyd yntau arno ei hun, i blygu i amodau cymdeithasau gwareiddiedig.[5]

Darlun tywyll, pesimistaidd o'r ddynoliaeth a geir yng ngwaith Freud a'i ddilynwyr ar un olwg felly, yn ôl Jones, gan iddynt bwysleisio rôl grymoedd anymwybodol, cudd yn ein bywydau a'n penderfyniadau pob dydd. Rhydd ddisgrifiad effeithiol iawn o'r modd y gweithreda un o gysyniadau pwysicaf Freud, sef yr egwyddor realiti (*realitätsprinzip*), o fewn adeiladwaith yr hunan:

Geilw Freud yr Anymwybod, tarddle'r nwydau, yn Id, y peth ynom nad yw mohonom, ac fe eilw'r Ymwybod yn Ego, y Myfi sy'n cydfyw â Myfïau eraill. Ond y mae trydydd, sef yr Awdurdod hwnnw o'm mewn a bair i mi osod rhaid *arnaf fy hun* i atal blysiau'r Id rhag fy anwareiddio. Super-ego y geilw Freud hwnnw.[6]

Y cam gwreiddiol a diddorol a gymer Jones yn ei ddadl yw dehongli'r berthynas rhwng yr id, yr ego a'r gorego mewn ffordd optimistig a gefnogai ei ffydd Gristnogol. Sut felly? Dengys yn glir gyntaf bod Freud ei hun yn gweld y gorego fel cynrychiolydd mewnol awdurdodaeth allanol sy'n rhan o fywyd pob unigolyn o'i flynyddoedd cynnar, ar ffurf ei rieni ac ar ffurf crefydd. 'Cludydd ceidwadaeth a thraddodiadaeth yw'r Super-ego', meddai felly, 'cyfrwng parhau hen orfodaethau afresymol'.[7] Twf awdurdodaeth yw'r trydydd rheswm a nodir yn ysgrif Jones er mwyn egluro'r dadrithiad cyfoes yng ngalluoedd a rhesymoldeb dyn, a'r ymdrech i ddeall y ffenomen gymdeithasol hon a yrrodd gwaith rhai o olynwyr pwysicaf Freud yn yr 1930au a'r 1940au, fel Erich Fromm, Herbert Marcuse a'u cyd-weithwyr yn Ysgol Frankfurt. Mae'n werth nodi bod Fromm wedi dod i ogledd Cymru yn 1962 i ymweld â'i gyd heddychwr ac ymgyrchydd gwrth-niwclear Bertrand Russell yn ei gartref.[8] Cytuna Jones â dadl Freud bod galluogi'r ego i dorri'n rhydd i ryw raddau o ofynion gormesol y gorego yn gam hollbwysig tuag at sicrhau iechyd meddwl. Roedd ymwrthod â phob crefydd yn hanfodol er mwyn gwneud hynny yn ôl Freud. Ond i J. R. Jones gallasai neges Iesu Grist fod o gymorth i'r ego. 'Canys nid awdurdodydd oedd Iesu o Nasareth' meddai. 'Efe yn hytrach yw'r "anghydffurfiwr" mawr, ac, am hynny, y mae'n gyfaill i'r Ego yn ei frwydr â'r gorfodaethau afresymol a glymodd am feddwl dyn.'[9]

Cyfeiria'n gynharach yn ei ysgrif at y pwyslais diwinyddol newydd yng Nghymru rhwng y rhyfeloedd byd, o dan ddylanwad syniadau Karl Barth yn arbennig, ar orhyder a balchder dynoliaeth, a'r ffaith sylfaenol mai creadur cwbl lygredig yw'r unigolyn.[10] Perygl y pwyslais newydd hwn, dywed Jones, oedd iddo 'gryfhau'r ofn sydd yn brif achos gwyrni dyn'.[11] Dadleua bod pwyslais yr Iesu ei hun i'r gwrthwyneb ar 'garu ohonom ein gilydd', a daw i'r casgliad grymus mai 'cyfaill yr Ego yw'r Iesu ac ni all crefydd awdurdodol, seiliedig ar ofn, fod yn wir Gristionogol. Yn wir, yr Anghrist yw.'[12] Cyfeirir at aeddfedrwydd personoliaeth yn rheolaidd yn ei ymdriniaethau â seicoleg, fel y gwelwn, a'i nod yn gyffredinol, fel Erich Fromm ac eraill o ddeallusion blaengar y cyfnod, oedd dangos sut ellid cyrraedd yr aeddfedrwydd hwn heb ildio i ofn ac awdurdod gormesol. 'Cyfrwng awdurdodaeth i barhau ei gafael arnom ydyw ofn' meddai yn yr ysgrif hon, o ganlyniad, a gwrthwynebiad tanbaid i'r awdurdodaeth hwn sy'n cymell ac yn gynsail i'w holl ymwneud â seicoleg.[13]

Ymhelaethodd Jones ar beryglon awdurdodaeth mewn dwy bregeth a draddododd o flaen cynulleidfaoedd Methodistaidd yn 1942, yn ogystal ag erthygl, 'Cristnogaeth a Democratiaeth', a gyhoeddwyd y flwyddyn olynol.[14] Yn yr erthygl hon dadleua mai 'gelyn peryclaf y ddelfryd Cristnogol-ddemocrataidd heddiw yw awdurdodaeth wleidyddol y gwladwriaethau ffasgaidd neu dotalitaraidd'.[15] Roedd y duedd gyfoes tuag at awdurdodaeth yn croes-ddweud y darganfyddiadau mwyaf modern ynglŷn â'r ddynoliaeth yn ei dyb ef. 'Yn awr, credwn mai gwers eglur y ddysgeidiaeth ddiweddaraf am ddyn mewn seicoleg, moeseg a chrefydd' meddai i gefnogi ei ddadl,

yw y cyrhaeddwn aeddfedrwydd fel personau pan enillom, mewn cydberthynas â'n gilydd, ac felly, heb eu difwyno gan hunanoldeb, rinweddau fel annibyniaeth ysbryd, hyder yn ein barnau a'n pender-fyniadau ein hunain, syniad gwrthrychol am ein gwerth ein hunain a'r 'cychwyn' hyderus hwnnw a gyflëir yn y gair Saseneg, *'initiative'*.[16]

Ond yn hytrach na meithrin yr annibyniaeth ysbryd a'r rhyddid barn sy'n arwain at aeddfedrwydd seicolegol, roedd tueddiadau gwleidyddol a chymdeithasol ei gyfnod yn peryglu eu tanseilio a'u gwanhau. Rhydd ddadansoddiad gresynus o wleidyddiaeth yr 1940au yn yr erthygl hon sy'n boenus o gyfarwydd yn ein cym-deithas gyfoes, yn dilyn llwyddiannau Donald Trump a Vladimir Putin: 'Phenomen fwyaf brawychus ein cyfnod yw llwyddiant anhygoel totalitariaeth neu awdurdodaeth wleidyddol, y chwyldro gwrth-ddemocrataidd sydd bellach wedi ymledu dros y rhan fwyaf o gyfandir Ewrop.'[17]

Ceir adlais pendant yn ei erthygl o syniadau cyfoes Erich Fromm ynglŷn â'r cyswllt rhwng pryder ac ofn unigolion a'u parodrwydd i dderbyn awdurdodaeth: 'Canys fe esgor cyfrifoldeb rhyddid ar bryder sy'n mynd o'r diwedd yn annioddefol.'[18] Ymdebyga ei ddadl yn hyn o beth i ddadansoddiad Fromm yn un o'i gyfrolau mwyaf dylanwadol, *The Fear of Freedom*, a gyhoeddwyd yn 1941.[19] Erbyn hynny, roedd Fromm, ynghyd â gweddill arweinwyr Ysgol Frankfurt a deallusion cysylltiedig eraill pwysig a ddadansoddodd dwf awdurdodaeth yn yr un cyfnod, fel yn fwyaf amlwg Hannah Arendt a Wilhelm Reich, wedi ffoi o fygythiad y Natsïaid yn yr Almaen i ymsefydlu yn yr Unol Daleithiau. Canolbwyntiodd deallusion Ysgol Frankfurt yn gyffredinol yn yr 1930au hwyr a'r 1940au cynnar ar geisio deall ac egluro'r prosesau seicolegol a arweiniodd at boblogrwydd ffasgaeth ac awdurdodaeth yn Ewrop.[20]

Fe adolygwyd cyfrol Fromm – cynnyrch ei ymchwil manwl ymhlith gweithwyr Almaeneg yn yr 1930au – yn ffafriol yn *Y Traethodydd* yn 1943 gan yr Athro David Phillips, Cymro arall oedd â diddordeb ymarferol mewn seicdreiddiad. Mae Phillips yn crynhoi dadl Fromm fel a ganlyn:

Ofn rhyddid, medd Erich Fromm, a gyfrif am salwch gwareiddiad. Cynnyrch democratiaeth yw'r ofn hwn i fesur mawr. Rhyddhaodd dynion oddi wrth awdurdod gwladwriaeth ac Eglwys y Canol

Oesoedd. Ac wrth eu rhyddhau dug i fod ffurf ar gymdeithas lle y mae dyn yn byw ar wahân i'w gyd-ddyn. Perthynas amhersonol sydd rhwng dynion heddiw, a theimlant yn ansicr ac yn annigonol i sefyll eu hunain.[21]

Nid gwrthod democratiaeth oedd yr ateb a gynigiodd Fromm, fel y pwysleisia Phillips, ond ail-drefnu cymdeithas mewn modd a fyddai'n hwyluso cydweithrediad rhwng unigolion. Argymhellodd Alwyn D. Rees y gyfrol i ddarllenwyr *Lleufer* ychydig flynyddoedd yn ddiweddarach fel un hanfodol er mwyn 'sylweddoli argyfwng cyffredinol ein gwareiddiad', ynghyd â chyfrol Lewis Mumford, *The Condition of Man*.[22] Dylid nodi i Hazel Barnes – cyfieithydd rhai o brif weithiau Sartre i'r Saesneg ac un o ddehonglwyr mwyaf dylanwadol ei athroniaeth tu hwnt i Ffrainc – weld tebygrwydd arwyddocaol rhwng syniadau Fromm a'r dirfodwyr modern yn eu pwyslais ar dueddiad unigolion i ddianc o'u rhyddid sylfaenol a gwrthod ei gydnabod.[23]

Roedd Fromm wrth gwrs yn Farcsydd anghonfensiynol, anuniongred yn y cyfnod hwn, fel J. R. Jones ei hun. Cydraddoldeb cynyddol oedd yr allwedd i sicrhau rhyddid yn nhyb y ddau ohonynt. Cyfeiria Jones at y diffyg cydraddoldeb o dan gyfundrefn gyfalafol fel a ganlyn: 'Eithr cydraddoldeb ffurfiol hollol ydyw hwnnw a sicrheir drwy wahanu statws cyfreithiol a gwleidyddol dynion oddi wrth sylwedd eu bywyd fel aelodau o gymdeithas.'[24] Mae'n dyfynnu o lyfr cyfoes ar effeithiau seicolegol comiwnyddiaeth, sef *Soviet Russia Fights Neurosis* gan Frankwood Williams, wrth ddatblygu ei ddadl. Roedd Jones, mae'n amlwg, yn darllen yn eang ym meysydd seicoleg a gwleidyddiaeth yn ogystal â'i briod faes academaidd, sef athroniaeth, yn y cyfnod hwn, fel y gwelwn yn ei baratoadau ar gyfer ei wersi allanol i oedolion. Ceisia ddangos bod awdurdodaeth yn elyniaethus i neges greiddiol Cristnogaeth a Marcsiaeth ill dau trwy ei ddiffyg ffydd yng ngallu unigolion i ysgwyddo cyfrifoldeb rhyddid. Disgrifia pwyslais y gwladwriaethau Pabyddol, adweithiol, lled-ffasgaidd yn Sbaen, Portiwgal a Ffrainc dan lywodraeth Vichy, ar awdurdod y wladwriaeth a'r teulu fel 'traffesti ar Gristnogaeth', wrth ddadlau mai 'meithrin personau cyfrifol, cwbl rydd o bod gwaseidd-dra ysbryd' yw gwir amcan y ddysgeidiaeth Gristnogol.[25]

Mae'n pwyntio, ymhellach, at yr elfennau gwrth-awdurdodol yn athrawiaeth Marx:

Yn wir, yn wleidyddol, anarchydd, sef y peth croesaf i awdurdodydd, yw Marx yn y pen draw. Breuddwyd ewtopaidd, fe ddichon, yw hynny; ond y mae yna rywbeth arall yn Marx sy'n bwysicach ac yn taflu golau pwysig ar broblem y gymdeithas ddemocrataidd, sef ei ddadansoddiad meistraidd o'r modd yr aeth y cylch economaidd yn allu annibynnol, gormesol, o'r tu allan i ddynion a chreu'r anghysondeb, y cyfeiriwyd ato eisoes, rhwng caethiwed dyn yng nghylch ei orchwylion preifat a'r enw o ryddid sydd ganddo fel dinesydd.[26]

Dim ond trwy greu cyfundrefn newydd 'gyd-feddiannol a gwrthesploityddol' credai y gellid cyfannu'r rhwyg hwn a galluogi unigolion ddod i'w llawn dwf yn seicolegol ac fel aelodau o gymdeithas. Ei gasgliad ar ddiwedd yr erthygl, felly, yw y byddai sicrhau cydraddoldeb economaidd yn arwain at aeddfedrwydd seicolegol yn ogystal â chyfiawnder cymdeithasol, a chyfeiria at: 'y cyfle i ennill aeddfedrwydd drwy gyfrifoldeb, ac nid bellach yn unig drwy ethol cynrychiolwyr i'r Senedd yn achlysurol, ond drwy beth sy'n llawer nes at sylwedd ei gyfathrach feunyddiol â'i gydddyn, sef cyfrifoldeb cyd-feddiannu a chyd-redeg y peirianwaith economaidd'.[27]

Gwelir tebygrwydd pellach rhwng syniadau J. R. Jones â rhai Erich Fromm yn un arall o'i ymdriniaethau â maes seicoleg. Ymhlith ei bapurau yn y Llyfrgell Genedlaethol, ceir copi o ddarlith radio gyda'r teitl awgrymog 'Sgwrs ar Freud a Marx' sy'n ddrych o'r modd yr oedd Fromm, Harry Stack Sullivan, Wilhelm Reich ac eraill yn ehangu ac ymestyn syniadau Freud yn yr 1940au a'r 1950au.[28] Mae'n debygol iawn i'w ddiddordeb yn y maes hwn gael ei feithrin a'i gynnal trwy ei gyfeillgarwch agos â Gwilym O. Roberts, a barhaodd o'u dyddiau ysgol ym Mhwllheli hyd ei farwolaeth gynamserol yn 1970. Bu Roberts yn ddarlithydd seicoleg ym Mhortland, Oregon yn yr Unol Daleithiau yn ystod cyfnod wedi'r Ail Ryfel Byd pan oedd dylanwad yr ysgol ôl-Freudaidd o seicolegwyr fel Fromm, Karen Horney ac Erik Erikson ar ei anterth, a daeth i gysylltiad personol a phroffesiynol â rhai ohonynt. Cofir Fromm yn bennaf heddiw am ei ymgais arloesol i briodi gwaith Sigmund Freud â syniadau Karl Marx er mwyn creu seicotherapi a sosialaeth ddyneiddiol ill dau.[29] Fel y nodwyd eisoes, roedd Jones ei hun yn Farcsydd o argyhoeddiad yn yr 1940au, a chyfeiria'n edmygus at yr Undeb Sofietaidd yn ei ysgrif yn *Credaf*. Yn ei araith ar Freud a Marx, cyfeiria eto at ei hyder a'i ffydd yn naioni dyn a'i resymoldeb, er gwaethaf diwinyddiaeth besimistig ei oes. Roedd neges Freud a Marx yn debyg i Jones yn yr ystyr bod y ddau wedi cyhoeddi rhwyg: rhwyg yn natur dyn neu ddynes ei hun yn achos Freud, a rhwyg yng nghymdeithas yn achos Marx. 'Dangosodd Freud mai creadur â rhwyg ynddo ydyw dyn', meddai, 'creadur â rhan ohono'n wrthodedig ganddo ef ei hun ac yn guddiedig rhagddo. Datgymalwyd ef, a'i hiraeth mawr yw'r hiraeth am gael ei gyfannu drachefn.'[30]

Fel Erich Fromm a'i gyfaill Gwilym O., credai Jones fod gan grefydd rôl hollbwysig i'w chwarae yn y broses o gyfannu'r rhwygiadau hyn. Ond fel yn ei ysgrif gynharach, crefydd a bwysleisiai bosibiliadau creadigol y ddynoliaeth yn unig a allai wneud hynny, nid crefydd a'i phwyslais yn drwm ar ei lygredigaeth honedig. Unwaith eto dadleua mai ofn oedd y gelyn oedd yn rhaid ei orchfygu. Tueddai diwinyddiaeth gyfoes i ddyfnhau ofn trwy 'angerddoli'r ymdeimlad o gywilydd am bechod'. 'Prif orchwyl crefydd', haera mewn gwrthwyneb i hynny, 'yw cael gan ddynion beidio â bod cywilydd ohonynt eu hunain . . . a chodi dynion na fyddant byth yn ymgreinio o gywilydd ond yn byw yn greadigol drwy ffydd yn y Duw a'i creodd ar ei ddelw ei Hun'.[31] Cawn ragflas yn yr araith hon nid yn unig o'r dylanwad y buasai diwinyddiaeth ddirfodol Paul Tillich yn ei gael ar ysgrifau crefyddol J. R. Jones yn yr 1960au ond hefyd o ddylanwad dehongliad Cymraeg unigryw ei gyfaill Gwilym O. o'r seicotherapi hiwmanistig y bu'n dyst i'w fagwraeth yn yr Unol Daleithiau yn yr 1940au. Mewn ysgrif arall anghyhoeddedig ymhlith ei bapurau cyfeiria at y 'dieithrwch dianghenraid sydd wedi bod rhwng y seicolegydd a'r diwinydd', ac yn sicr tanbrisiwyd pwysigrwydd dadleuon Freud a'i ddilynwyr ynglŷn â lleddfu euogrwydd unigolion a'u rhyddhau o orthrymderau ofn yn y llenyddiaeth ar ddiwinyddiaeth J. R. Jones.[32]

Gwelir olion clir o ddylanwad Erich Fromm a'r athronwyr dirfodol yn nwy araith Jones mewn cyfarfodydd Methodistaidd yn 1942 hefyd, a gyhoeddwyd y flwyddyn ganlynol yn y gyfrol *Anerchiadau Cymdeithasfaol*. Yn y cyntaf ohonynt, sef 'Crist a'r Gwareiddiad Newydd', a gyhoeddwyd gyntaf ym mhapur enwadol *Y Drysorfa* ym Medi 1942, mae'n cynnig y dadansoddiad craff canlynol o natur a phriodoleddau pryder sy'n dangos ei barodrwydd i gwestiynu rhai o'r rhagdybiaethau Marcsaidd:

> Wrth ein hannog i beidio a 'gofalu dros drannoeth' fe roes Iesu Grist ei fys ar wreiddyn hunanoldeb, sef pryder (*anxiety*). Myn y Sosialydd a'r Comiwnydd mai ansicrwydd bywoliaeth yn y gyfundrefn gyfalafol yw prif achos pryderon dynion, ac y bydd diwedd arnynt, gan hynny, pan osodir cymdeithas ar seiliau tecach. Ond dadansoddiad arwynebol ydyw hwn. Y mae gwreiddyn pryder yn llawer dyfnach na hyn. Temtir dyn i bryderu gan ei gymeriad deublyg fel creadur meidrol ac fel ysbryd rhydd. Ar y naill law, fel creadur meidrol, y mae'n gaeth i reidiau natur ac yn ddarostyngedig i ddamweiniau amser. Ar y llaw arall, fel ysbryd rhydd, fe all godi o ran ei feddwl uwchlaw iddo'i hunan a gweld ei gyflwr meidrol. Ac o weld ansicrwydd ei sefyllfa ni all lai na rhagweld ei beryglon. Ac fe esgor hynny yn ddifeth ar bryder.[33]

Mae'n datblygu ei ddadansoddiad o'r berthynas rhwng pryder ac awdurdodaeth yn ei ail araith, 'Sefwch gan hynny yn y Rhyddid', a draddodwyd yn Sasiwn Machynlleth ym mis Hydref 1942. Dyfynna o waith un o'r amrywiol ddylanwadau ar yr athroniaeth ddirfodol a oedd yn dod i amlygrwydd cynyddol yn y cyfnod hwn, sef y Sbaenwr Miguel de Unamuno, wrth ddisgrifio'r twf cyfoes mewn awdurdodaeth ledled Ewrop.[34] Rhybuddia yn erbyn peryglon y duedd hon gartref yn ogystal ag ar y Cyfandir, gan nodi fod Prydain yn 'mynd yn fwyfwy i wneuthur gweithredoedd Awdurdodaeth er ei bod yn sôn fwy nag erioed am Ryddid'.[35]

Fel Erich Fromm yn *The Fear of Freedom*, dadleua mai anaeddfedrwydd seicolegol ac amharodrwydd i ysgwyddo cyfrifoldeb oedd yn gyfrifol i raddau helaeth am boblogrwydd awdurdodaeth. Wrth gyfeirio at demtasiynau ildio i awdurdod dywed:

Y fath ryddhad a gaem ar groesffyrdd pwysig bywyd pe caem apelio at ryw Awdurdod i ddatrys ein problem ni yn ein lle a gwneuthur y dewis drostom! Mor gryf yw'r baban ynom sydd am gael ei nawddogi a'i warchod a'i gadw rhag gorfod wynebu gerwinder cyfrifoldeb rhyddid![36]

Cyfeiria at 'annibyniaeth ysbryd' fel 'addurn pennaf personoliaeth', rhinwedd sy'n cael ei golli'n llwyr wrth ildio i awdurdod.[37]

Perygl crefydd awdurdodol, anystwyth, mae'n dadlau ymhellach, yw gosod ffiniau haearnaidd, anhyblyg ar gyfarwyddyd yr Iesu, mewn gwrthwynebiad i'w fwriad ef ei hun iddynt fod mor amhendant â phosib, 'er mwyn i ni ddysgu cymhwyso egwyddorion ei ddysgeidiaeth at broblemau ein bywyd ar ein cyfrifoldeb ein hunain, a bod, drwy hynny, yn fewnol rydd yn ein dewisiadau'.[38] Mae'n dethol enghraifft i gefnogi ei ddadl a oedd yn berthnasol iawn i'w sefyllfa bersonol yn ystod y cyfnod hwnnw, sef rhyddid cydwybod, gan iddo wneud safiad fel gwrthwynebwr cydwybodol yn ystod yr Ail Ryfel Byd. Pwysleisia nad oedd dysgeidiaeth yr Iesu yn ddichonol i wneud penderfyniadau tyngedfennol, sylfaenol o'r fath drosto ef a'i genhedlaeth, ac mae'r unig ffordd iddynt ddod i aeddfedrwydd llawn oedd iddynt eu gwneud drostynt eu hunain a thrwy hynny 'mynd yn gyfrifol amdano ein hunain'.[39]

Ceir yr un pwyslais ar ryddid a gwrth-awdurdodaeth yn ei bregeth gyhoeddus 'Perthynas y Cristion a'r Wladwriaeth Heddiw', a draddodwyd yn Rhuthun ychydig flynyddoedd wedi'r rhyfel yn 1949:

Gwelsom fod elfen anarchaidd yn rhywle yng ngwreiddiau Cristnogaeth – pwyslais ar hawl yr enaid unigol i ryddid oddi wrth bob ymyriad o'r tu allan. Da y gwnaeth yr Eglwys Gristnogol yn gwthio'r elfen hon i'r cefndir. Yn wir, oni bai iddi wneud hynny, prin y buasai'r fath beth a Sasiwn yn Rhuthun yr wythnos hon. Ond, o'r cefndir lle gwthiwyd hi iddo, fe ddeil yr elfen anarchaidd hon i gyflyru'r osgo Gristnogol tuag at fywyd. Y mae hi'n caniatáu reservio'r hawl i *wrthwynebu* awdurdod pan fo'r awdurdod hwnnw yn gweithredu'n anghristnogol. Ac, i mi, pwysigrwydd hyn, cyn belled ag y mae cynlluniau cartref ein gwladwriaeth yn y cwestiwn, yw y geill yr Eglwys Gristnogol, oherwydd hyn, ddod yn fagwrfa *ysbryd radicalaidd iach* a fydd yn atalfa ar bob *gor*gyfundrefnu, pob *gor*luosogi swyddau ac rheolau, pob biwrocrateiddio dianghenraid ar ein gwlad.[40]

Trodd ar ôl y sylwadau uchod at fater mwy penodol, sef y cwestiwn o orfodaeth filwrol ar bobl ifanc ac ymgyrchoedd recriwtio'r wladwriaeth i'r fyddin: mater sy'n parhau'n amserol tu hwnt yng Nghymru gyfoes gan ein bod yn rhan o'r unig wladwriaeth yn Ewrop sy'n caniatáu i bobl ifanc dan 18 oed ymuno â'r lluoedd arfog. Dengys ei fyfyrdodau ar y cwestiwn hwn fod ei wrthfilitariaeth yn rhedeg gyfochrog a'i wrth-awdurdodaeth. Dywed, er enghraifft, 'gwelaf yng nghynghorau ein Swyddfa Dramor a'n Swyddfa Rhyfel barhad hen bolisi ymherodraethol, digymrodedd. A chredaf fod hyn yn fy nghyfiawnhau fel Cristion i reservio fy hawl i *wrthwynebu'r* awdurdod gwladol yn ei drefniadau adarfogi a gorfodi ieuenctid i recriwtio'.[41]

Dylid nodi yn y cyd-destun hwn iddo gyfrannu at y bamffled *Tystiolaeth y Plant*, ynghyd â meddylwyr radical ifanc eraill fel Rosalind Bevan, Tecwyn Lloyd ac A. O. H. Jarman, yng nghyfres bwysig Pamffledi Heddychwyr Cymru yn ystod yr Ail Ryfel Byd.[42] 'Her i'r Unigolyn' yw teitl arwyddocaol ei gyfraniad i'r bamffled hon, a'r un yw'r neges ynddi a'i anerchiadau cyhoeddus yn 1942 ynglŷn â phwysigrwydd caniatáu'r rhyddid i unigolion wneud penderfyniadau ar faterion mor sylfaenol â rhyfel a heddwch drostynt hwy eu hunain, ac i'r unigolion hynny yn eu tro wynebu eu cyfrifoldeb i wneud penderfyniadau o'r fath. Cyfeiria eto, yn null y dirfodwyr, at y pryder mae'r rhyddid i ddewis yn arwain ato, ond yr unig lwybr aeddfed ac adeiladol, yn ei dyb ef, oedd i unigolion orchfygu'r pryder hwnnw trwy wneud y dewis un ffordd neu'r llall.[43] Bu cyfres Pamffledi Heddychwyr Cymru yn un o fentrau gyhoeddi beiddgar a llwyddiannus eraill yr 1940au, fel Llyfrau'r Dryw a'r cyfresi a drafodwyd ym mhennod 1. Trafodwyd ystod eclectig o syniadau a oedd yn gysylltiedig â heddychiaeth yn ei ystyr mwyaf eang yn eu 30 o rifynnau, gan gynnwys: 'anarchistiaeth' yng nghyfraniad J. Gwyn Griffiths; ffederaliaeth ym mhamffled Pennar Davies; cysyniadau canolog athroniaeth Gandhi o *satyagraha* ac *ahimsa* ym mhamffled Iorwerth Jones; a thriniaeth troseddwyr yn un o ddau gyfraniad George M. Ll. Davies.[44] Bu aelodau Cylch Cadwgan ymhlith y cyfranwyr mwyaf toreithiog i'r gyfres, sydd yn ei chrynswth yn nodweddiadol o'u gorwelion deallusol eang a'u menter syniadol bellgyrhaeddol.

Cawn dystiolaeth bellach o ddiddordeb byw Jones yn syniadau Freud a'i ddilynwyr yn ei adolygiad i'r *Cymro* o rifyn 1945 o'r *Efrydiau Athronyddol*. Canolbwyntia yn ei adolygiad ar ysgrif feistrolgar yr Athro Idwal Jones ar 'Sigmund Freud', ac mae'n cynnig ei ddiffiniad cryno a chywir ei hun o'r seicoleg newydd a arloesodd, yn ogystal ag awgrym ynglŷn â'r term Cymraeg gorau i'w ddefnyddio ar ei gyfer:

> Dangosir y saif 'seicdreiddiad' am bedwar o bethau: 1) Method o dreiddio i waelodau seicoleg clefydau 2) ffeithiau a ddarganfyddir drwy gyfrwng y method; iii) damcaniaethau a luniwyd i esbonio'r ffeithiau; iv) dehongliad o safbwynt seicdreiddiol ar ffeithiau a gesglir oddi wrth hanes, bywydeg, anthropoleg ac felly ymlaen (Oni fyddai 'seicdreiddiaeth' yn addasach enw ar y wyddor ddamcaniaethol?)[45]

Yn ystod y cyfnod hwn bu'n astudio'r pwnc yn ofalus fel rhan o'i waith i Adran Efrydiau Allanol, Coleg Prifysgol Cymru yn Aberystwyth. Ymhlith ei bapurau yn y Llyfrgell Genedlaethol ceir llyfrau nodiadau trwchus sy'n cynnwys y cyfan o'r cwrs ar seicoleg y bu iddo baratoi ar gyfer oedolion yn ardaloedd Machynlleth ac Aberystwyth rhwng 1943 ac 1947.[46]

Dyma'r diffiniad o swyddogaeth seicoleg a gynigiodd i'w ddosbarth yng ngwers gyntaf y cwrs:

> Yr ydym i gyd yn seicolegwyr mewn un ystyr: ein bod yn ymwneud yn feunyddiol â'r hyn sydd a siarad yn fras yn faes ymchwil y seicolegydd, sef y natur ddynol. Yn wir yr ydym nid yn unig yn delio yn ymarferol â phwnc seicolegol ond weithiau yn delio ag ef mewn ffordd seicolegol: h. y. nid yn unig fe fyddwn yn *trafod* dynion wrth geisio byw ond hefyd weithiau i bwrpas byw a hwy yn ceisio eu deall, deall troadau eu meddwl a'r cymhellion sy'n penderfynu eu teimladau a'u gweithredoedd. Y mae'r plentyn a ŵyr o fynych

holi, o dan ba amodau yn union y mae ei gais am ryw ffafr gan ei rieni yn debyg o lwyddo yn seicolegydd ymarferol[47]

Roedd amserlen y cwrs a gynlluniodd yn cynnwys gwersi nid yn unig ar Freud, ond hefyd ar ei gymheiriaid seicdreiddiol Jung ac Adler, yn ogystal â gwersi ar y prif ysgolion seicolegol eraill, fel ymddygiadaeth ac ysgol Gestalt, a rhai'r 'hen' seicoleg a ragflaenodd y syniadau chwyldroadol hyn. Ymhlith ei bapurau ceir archeb i'r coleg yn Aberystwyth ar gyfer copïau o'r llyfrau ar restr ddarllen ei ddosbarth seicoleg yn Rhydypennau ym mlwyddyn 1946/7, a gynhaliwyd yng Nghapel y Garn, Bow Street, sy'n dangos pa mor eang ac uchelgeisiol oedd y cwrs.[48] Mae'n cynnwys rhai o brif weithiau Freud, Jung ac Adler, fel *The Psychopathology of Everyday Life* a *Modern Man in Search of a Soul*, ynghyd â gweithiau eraill heriol, fel cyfrol y seicdreiddiwr Prydeinig dylanwadol William Rivers, *Instinct and the Unconscious*.

Yn y nodiadau ar gyfer ei wersi ar seicdreiddiad, ceir tystiolaeth glir nid yn unig o ddarllen eang J. R. Jones yn y maes ond hefyd ei ddealltwriaeth gynhwysfawr o'i brif gysyniadau a'i allu i'w cyfleu yn y Gymraeg. Llwydda, er enghraifft, i grisialu syniad canolog seicdreiddiad a'i ddull sylfaenol o weithredu fel a ganlyn: 'Sylfaenir hi ar y gred nid yn unig fod yna guddfeydd yn yr enaid ond bod angen chwilio allan a glanhau'r cuddfeydd hyn i adfer iechyd yr enaid.'[49] Aeth ymlaen yn ei wers gyntaf ar seicdreiddiad i egluro sut ddatblygodd syniadau Freud o'i waith gyda Josef Breuer a Jean-Martin Charcot, yn enwedig eu defnydd o hudgwsg i gyrraedd at y profiadau ffurfiannol a gladdwyd o dan y meddwl ymwybodol. 'Drwy *adrodd* y pethau anghofiedig a ddeuai i'r wyneb dan yr hudgwsg,' meddai, 'fe'i ceid allan megis o guddfeydd y Diymwybod er iachâd y dioddefydd.'[50]

Ar ôl crybwyll peryglon y broses o drosglwyddiad y sylwodd Freud arno gyda'i gleifion cynharaf, rhydd Jones ddarlun trawiadol o un o'r cysyniadau seicdreiddiol mwyaf creiddiol, sef y profiadau neu'r teimladau gwrthodedig sy'n creu'r 'cymhleth':

Ni ddylwn eu cymharu â charreg swrth yn suddo i'r Diymwybod fel y sudda'r garreg i'r llyn. Maent yn debycach i egin byw yn canghennu allan ac ymgysylltu ag elfennau diymwybod eraill nes mynd yn fath o *gwlwm neu gyfundrefn* yn y Diymwybod. Galwodd Jung hwy yn gymhlethion neu gymhlygion (*complexes*) a dyma'r enw sydd wedi dod yn gyffredin bellach.[51]

Dengys ymhellach i Freud ddatblygu a chymhlethu gwaith Breuer ac eraill drwy gyflwyno'r dechneg o rydd gymdeithasiad (*Freie Assoziation*) ac yn bennaf oll trwy ddadansoddi breuddwydion ei gleifion. Trwy wneud hynny, datgelwyd fod breuddwydion yn adlewyrchu ffaith bwysig, meddai, sef, 'fod gweithgarwch y Di-ymwybod wrth geisio ei fynegi ei hun, yn simboliadaol, hynny yw, yn mynegi dyhead a chuddio ei wir ystyr yr un pryd'.[52] Er mwyn cyrraedd at y gwir ystyr hwn, roedd angen treiddio'n ddyfnach byth i'r anymwybod drwy ddychwelyd at brofiadau cynharaf y claf.

Daeth hynny a Jones at driniaeth ymfflamychol a dadleuol Freud o'r hyn a eilw'n 'rhywioldeb babandod' neu *infantile sexuality*. Ond fel y mwyafrif o'r sylwedyddion eraill Cymraeg a fu'n ymdrin â syniadau Freud o'i flaen, megis yn fwyaf nodweddiadol Idwal Jones yn yr ysgrif fanwl ar Freud a glodforodd yn *Y Cymro*, llwydda i bwyso a mesur gwerth ei syniadau yn y cyd-destun hwn mewn ffordd gytbwys a rhesymol. Pwysleisia mai rhywioldeb babandod yw un o ddwy ffaith sylfaenol dysgeidiaeth Freud, ynghyd â 'ffaith atal neu wrthod (*repression*)', ond dengys hefyd yr ystyr ben agored a rydd i'r term. Fel y dywed yn ei wers ar Freud 'y mae'r syniad medd ef ar yr un pryd yn eang ac yn fanwl'.[53] Dengys bod rhyw-ioldeb cynnar yn gyfystyr â'r reddf am foddhad neu bleser yn nhyb Freud, ac yn fynegiant o reddf sylfaenol y plentyn i fyw, a ddaw i wrthdrawiad sydyn â'r byd o'i amgylch, yn gyntaf oll ar ffurf ei rieni.

Arweinia hyn at ddisgrifiad crefftus a soffistigedig o'r rhaniad rhwng yr id – mynegiant o'r reddf cyfeiriwyd ati uchod am foddhad – yr ego, a'r gorego a ddatblygodd Freud yn ei weithiau wedi'r Rhyfel Byd Cyntaf. Dengys fod yr ego yn cynrychioli 'gwrthrycholdeb y gallu i weld a chlywed gofynion rialiti ac i ymgyfaddasu iddynt', ond bod y gorego yn cymhlethu'r berthynas rhwng yr id a'r ego trwy gynrychioli awdurdod rhieni a'r byd allanol, pa bynnag mor afresymol y gall fod, 'o fewn i'r plentyn ei hun'.[54] Swyddogaeth y gorego felly 'yw bod yn wyliwr ar yr Ego, *o'r tu mewn*'.[55] Eir ymlaen yn nodiadau'r wers hon i olrhain datblygiad y cymhleth Oedipus, sy'n rhan hanfodol o'r superego yn ôl Jones, a daw'n amlwg yn y broses i'w ddiddordeb mewn awdurdodaeth a'i ddeall-twriaeth o'r ffenomen ddeillio o'i ddarllen ym maes seicdreiddiad. Mae'n dadlau fod y broses o wrthod awdurdod y tad sy'n cael ei ymgorffori yn y cymhleth Oedipus yn arwain unigolion i droi at 'ffurfiau newydd ar awdurdod' i gymryd ei le, sef: yn gyntaf y wladwriaeth; yn ail moesoldeb draddodiadol; ac yn drydydd awdurdodaeth Duw.[56] Ffrwyth yr ymchwil ar gyfer ei wersi efryd-iau allanol oedd yr ysgrif yn y gyfrol *Credaf* y cyfeiriwyd ati'n gynharach, yn rhannol, lle ymhelaethodd ar y disgrifiad uchod o'r berthynas rhwng yr ego, yr id a'r gorego a'i dylanwad ar gredoau crefyddol. Fel yn ei areithiau ac erthyglau eraill o'r 1940au, mae'n glir i Jones wrthod y math o grefydd batriarchaidd, draddodiadol a welai Duw fel Tad a'r eglwys fel cynrychiolydd ei awdurdod, ac mai ei ddiddordeb mewn seicoleg oedd yn rhannol gyfrifol am hynny. Yn ogystal â dylanwad diwinyddiaeth ddirfodol Paul Tillich ac eraill, dyma'r rheswm iddo ddisgrifio Duw fel 'dyfnder bod' yn ei ysgrifau crefyddol mwy adnabyddus fel *Yr Argyfwng Gwacter Ystyr* yn yr 1960au.

Datgelir rhai o'r dylanwadau ar ei ysgrifau yn ymwneud â chenedlaetholdeb a gwleidyddiaeth hefyd yn nodiadau ei wersi ar rai o ddilynwyr Freud, yn bennaf Alfred Adler. Rhydd fraslun i gychwyn o'r rhwygiadau o fewn y cylch bychan, gwreiddiol seicdreiddiol yn Fienna o tua 1912 ymlaen a arweiniodd Adler ac eraill i ddatblygu eu dysgeidiaeth seicolegol eu hunain. Cyfraniad mwyaf Adler oedd datblygu seicoleg unigol (*individual psychology*) a bwysleisiai rôl yr ego ar draul y rhywioldeb a libido oedd mor ganolog yn nysgeidiaeth Freud. Gwraidd pob niwrosis neu broblem seicolegol yn ôl Adler, fe ddengys, mewn cyferbyniad oedd 'ym-deimlad o israddoldeb', a bathodd y term cyfarwydd *inferiority complex* i ddisgrifio'r ffenomen hon, fel y gwelwyd ym mhennod 1.[57] Fel yn achos ei wersi ar Freud, lle pwysleisiodd beryglon seicolegol patriarchaeth, datgela ei nodiadau ar Adler ei ym-wybyddiaeth o 'anghydraddoldeb rhywiol' ei gymdeithas.

Noda'r anghydraddoldeb hwn fel un o wreiddiau'r ymdeimlad cyffredin o israddoldeb. O fewn cymdeithas batriarchaidd, lle'r ferch yw uffuddhau i arweiniad ac awdurdod y dyn ac o ganlyniad, meddai: 'Nid yw hi gyfwerth na chyfartal . . . Gwrthryfelodd y ferch mae'n wir a mynnodd gydraddoldeb. Ond erys ein cymdeithas o ran ei chyfreithiau a'i harferion a'i dull o fyw yn hanfodol batriarchaidd o hyd.'[58] Unwaith eto, fe wna ei wrthwynebiad i awdurdodaeth yn gwbl eglur trwy ddangos i Adler ddadlau bod rhieni llym a gormesol yn creu ymdeimlad o israddoldeb ac ofn yn eu plant sy'n eu harwain i blygu o flaen awdurdod gweddill eu hoes. 'Mae'r cyfryw yn *victims* parod', meddai, felly, 'i'r unben rhyfelgar ac i ecsploitiaeth economaidd ddidosturi.'[59] Rhaid sicrhau fod ysbryd annibyniaeth yn cael ei feithrin o ddyddiau cynharaf plentyndod felly, yn ei dyb ef, er mwyn rhwystro totalitariaeth rhag ffynnu. Yr ymdeimlad peryglus hwn o israddoldeb a ddaeth syniadau Adler ag ef i'r amlwg yw un o'r elfennau pwysicaf yn y cysyniad o Brydeindod a ddatblygodd J. R. Jones yn ei ysgrifau gwleidyddol diweddarach, fel y gwelwn. Cyffyrdda hefyd wrth drin gwaith Adler â un arall o'r ymadroddion cyfarwydd a boblogeiddiodd, sef *lifestyle*, wrth egluro bod pob unigolyn yn datblygu ei 'style of life' ei hun i wneud yn iawn am ei deimlad o israddoldeb.[60]

Yn ogystal â'i ymdriniaeth â syniadau Freud ac Adler, cyflwyodd wersi ar ddysgeidiaeth Carl Jung i'w ddosbarthiadau ym Machynlleth ac Aberystwyth. Gellir dadlau i ddatblygiad ac ymestyniad arwyddocaol tu hwnt Jung o gysyniad gwreiddiol Freud o'r anymwybod chwarae rhan ffurfiannol arall yng nghysyniad J. R. Jones o Brydeindod. Jung oedd arloeswr y cysyniad o'r anymwybod torfol, syniad fel y gwelwyd eisoes a apeliodd yn drawiadol at nifer o awduron Cymraeg eraill fel Tegla Davies ac Alwyn Rees yn yr 1930au a'r 1940au. Yn sicr fe awgrymir yng ngweithiau mwy gwleidyddol Jones fod gwreiddiau Prydeindod i'w canfod yn anymwybod torfol y Cymry. Dengys yn ei wersi ar ei syniadau i Jung ddatblygu ei ysgol o 'seicoleg ddadansoddol' yn Zurich a wahaniaethodd ei hun o dechneg seicdreiddiol Freud trwy ganolbwyntio ar 'ogwydd anymwybodol y *patient* tuag at ei broblem bresennol', yn hytrach na hoelio'r sylw therapiwtig ar ei blentyndod a'i orffennol.[61] Ymgais i ddadansoddi a thrin cyflwr meddwl y Cymry yn y presennol oedd gwaith Jones ei hun ar Brydeindod yn yr 1960au, fel y gwelwn.

Seicoleg Prydeindod

Erbyn i'w gyfrol *Prydeindod* gael ei chyhoeddi yn 1966 roedd J. R. Jones wedi symud o Aberystwyth i gymryd swydd yn Adran Athroniaeth Coleg Prifysgol Cymru, Abertawe ers yr 1950au cynnar, ac roedd ei ymwneud – yn gyhoeddus o leiaf – â syniadau Freud a'r seicdreiddwyr eraill, wedi dod i ben. Gwelir olion digamsyniol o ddylanwad seicdreiddiad ar ei waith trwy gydol *Prydeindod* serch hynny, fel yn y dyfyniad arwyddocaol isod o ail ran y gyfrol:

> Danghosodd y seicolegwyr mai profi dolur diymwybod y mae pob mileindra. Sut y mae cael at guddfan y dolur yn achos ffenomen resynus a rhyfedd y mileindra gwrthgymreig? Dyma'r sefyllfa a welaf fi o dan y wyneb – yn fras i gychwyn: (i) bod dreif anechblyg ymysg y Cymry i sicrhau braint a chyfran gyda'r Saeson yn y cenedligrwydd honedig Prydeinig; ac (ii) y goddiweddir y dreif, oblegid natur rithlyd y cenedligrwydd hwn, gan siomiant a llesteiriant diymwybod. Ceisiaf yn awr ddatblygu'r diagnosis hwn.[62]

Mae'r defnydd o'r termau seicdreiddiol allweddol 'dreif' a 'diymwybod' yn amlygu dylanwad Freudiaeth ar ei feddwl yn y cyd-destun hwn, yn ogystal â'i ddisgrifiad o'i ddadansoddiad gwleidyddol fel 'diagnosis'.

Nid dadansoddiad gwleidyddol mae'n ei gynnig yn y gyfrol hon mewn gwirionedd, ond dadansoddiad seicolegol o'r Cymry, sy'n treiddio'n fwriadol ac yn bwrpasol o dan wyneb disgwrs gyhoeddus, swyddogol yr 1960au i gyrraedd at ffynhonnell cymhleth israddoldeb – i ddychwelyd at derminoleg Adler – y Cymry. Gwna'r rhagymadrodd i'r gyfrol yn eglur o'r cychwyn mai gelyn mewnol yw Prydeindod i raddau helaeth, sy'n gweithio 'o'r tu fewn i'n meddyliau ni ein hunain'.[63] Ffenomen seicolegol ydyw, yn ei hanfod, ac fe'i darlunnir yn sgil hynny fel ffurf o niwrosis yn ei ddiagnosis. Arweinia'r cyflwr anymwybodol hwn at 'adweithiau pathalogaidd ar raddfa eang'.[64] Gwrthgymreigrwydd milain oedd y mwyaf amlwg o'r symptomau hynny, yn ei dyb ef, yn ogystal â'r gred gyfeiliornus 'mai Prydain yw ein cenedl'.[65] Mytholeg sy'n cael ei warchod a'i gynnal ar lefel anymwybodol yw Prydeindod felly; ideoleg sy'n beryglus gan nad yw ei ddilynwyr yn ymwybodol o'i natur na'i gymhellion. Roedd argyfyngau'r ugeinfed ganrif wedi dangos yn glir, meddai, 'mai grym a pherygl ideoleg yw ei bod yn goel anymwybodol, yn codi o ddreif neu angen diymwybod y metha diriaethu'r sefyllfa a rhoi bodlonrwydd iddo'.[66]

Nid J. R. Jones oedd yr unig awdur Cymraeg blaenllaw i draethu'n gyhoeddus ynglŷn ag effeithiau seicolegol sefyllfa wleidyddol Cymru yn yr 1960au cynnar. Disgrifia Islwyn Ffowc Elis gyflwr a eilw'n 'Seicosis Gorthrwm' mewn erthygl yng nghylchgrawn ieuenctid Plaid Cymru a gyhoeddwyd yn 1960.[67] Roedd cyfrolau cyfoes am brofiadau hanesyddol pobl India o dan yr Ymerodraeth Brydeinig wedi sôn gyntaf am *oppression psychosis*, ac yn ôl Elis, 'Nid ffansi ofer yw dweud bod y seicosis gorthrwm hwn yn bod yng Nghymru.'[68] Fel Prydeindod, cyflwr anymwybodol oedd y seicosis hwn: cynnyrch canrifoedd o ormes a wthiodd y cof cenedlaethol dan y wyneb, yn enwedig ymhlith y Cymry 'anwlatgar' a ddilynai arferion a gorchmynion eu cymdogion yn ddi-gwestiwn. 'Gorfu arnynt wasgu eu Cymreictod i'w hisymwybod' meddai, 'ac fel pob isymwybod annormal, chwery hwn ei driciau. A'r ffrwyth yw cymeriad cenedlaethol nad yw'n haeddu ond dirmyg y byd.'[69] Wrth danlinellu peryglon 'isymwybod cenedl' – cysyniad Jungaidd yn ei hanfod – cyfeiria at yr angen i roi sylw i 'iechyd meddwl cenedl' a'r 'ddadl seicolegol dros hunanlywodraeth buan i Gymru'.[70]

Mae J. R. Jones ei hun yn crybwyll yn *Prydeindod* i Tecwyn Lloyd hefyd ddadlau mewn erthygl yn 1963 fod y duedd gyfoes i 'feddwl nad mewn Cymraeg y lleferir pethau gwir bwysig' yn fater a haeddai sylw manwl gan ei fod yn ymwneud â 'iechyd meddwl' unigolion.[71] Noda yn y rhagair i'r gyfrol yn ogystal fod golygydd *Y Faner*, Gwilym R. Jones wedi dadlau wrth ymateb i'w erthyglau cynnar ar faterion cenedlaethol i'r papur bod 'rhyw reswm seicolegol dwfn am agwedd lawer iawn o Gymry tuag at eu cenedl a'i phethau', gan ei annog i gloddio'n ddyfnach i'w ddarganfod.[72]

Ymgais yw *Prydeindod* i wneud hynny, a gellir dadlau mai llwybr sy'n dychwelyd at hanfod y genhadaeth seicdreiddiol mae'n ei gynnig i oresgyn gafael Prydeindod dros y Cymry. Hynny yw, prif nod seicotherapi Freudaidd a Jungaidd ill dau yw gwneud yr anymwybodol yn ymwybodol, neu mewn geiriau eraill i godi a dychwelyd yr hyn a ataliwyd gan wahanol ddylanwadau yn yr anymwybod i'r meddwl ymwybodol – neu yn nherminoleg Freud ei hun, *the return of the repressed*.

Yn ôl Jones, roedd ymwybyddiaeth y mwyafrif o'r Cymry o'i gwahanrwydd 'ffurfiannol' fel pobl – ffaith a ddiogelwyd drwy'r hyn a eilw'n 'gydymdreiddiad' eu tir a'u hiaith – wedi ei gladdu o dan y wyneb gan nad oedd statws 'gweithrediadol' iddo a gan fod eu dealltwriaeth o'u hanes yn aml mor ddiffygiol. Yr angen i wneud y Cymry'n ymwybodol eto o'i gwahanrwydd fel pobl yw'r cam allweddol sy'n cael ei amlinellu yn rhan gyntaf y gyfrol, lle dywedir:

> Y cam strategol bwysig yw newid llwyfan bodolaeth y sylweddau ffurfiannol hyn: o fod yn y byd ac yng nghôl y gorffennol yn unig, rhoi iddynt fodolaeth yn *ymwybyddiaeth y Bobl a'u piau*. Yna y try ein potensial cenedligol yn gymhelliad ymwybodol ac yn bennaf cyfarpar ar gyfer ein brwydr.[73]

Er mwyn trechu'r syniad cyfeiliornus fod Prydain yn genedl, felly, roedd angen deffro a dychwelyd yr ymdeimlad ymysg y Cymry o'u potensial fel cenedl. Trwy ddatgelu'r 'rhithfyd' a adeiladwyd gan bedair canrif o reolaeth y wladwriaeth Brydeinig, gellid achub y Cymry 'o ddoluriau cuddiedig, niwrotig, nad oes modd eu dwyn i'r golau ond drwy "geibio"'.[74] Yn ddiau, seicdreiddiad oedd un o'r technegau a ysbrydolodd ymgais J. R. Jones i wneud hynny.

Argyfwng hunaniaeth a wynebai'r sawl a goleddai ideoleg Prydeindod yng Nghymru, yn ôl dadl J. R. Jones. Daw hyn â ni at waith un arall o seicolegwyr ôl-Freudaidd pwysicaf y cyfnod wedi'r Ail Ryfel Byd, sef Erik Erikson. Cyfeirir at Erikson yn is-deitl y bywgraffiad pwysicaf ohono fel *Identity's Architect* gan iddo fathu a phoblogeiddio'r cysyniad seicolegol o argyfwng hunaniaeth mewn cyfrolau dylanwadol a phoblogaidd fel *Childhood and Society* yn yr 1950au.[75] Roedd yn arloeswr hefyd ym maes y seico-fywgraffiad trwy ei gyfrolau ar Martin Luther a Gandhi yn bennaf.[76] Fel Erich Fromm a Karen Horney, roedd Erikson yn ddilynwr anuniongred o syniadau Freud. Fe'i hyfforddwyd fel seicdreiddiwr gan ferch Freud ei hun, Anna Freud yn Fienna, cyn symud i'r Unol Daleithiau yn barhaol yn 1933. Awgrymodd Richard Glyn Roberts mewn ysgrif ddiweddar y posibilrwydd fod Jones wedi darllen gwaith Erik Erikson yn yr 1950au; cyfnod pan yr oedd y cysyniad o hunaniaeth yn cael ei drafod yn gynyddol, yn sgil ei waith.[77] Mae'r dystiolaeth yn ei bapurau o'i ddarllen eang ym maes seicoleg yn ategu'r posibilrwydd hwn, er nad oes cofnod penodol iddo wneud.

Canolbwyntiodd Erikson, yn bennaf oll, ar bwysigrwydd datblygiad hunaniaeth yr unigolyn yn ei waith oherwydd credai, 'the study of identity . . . becomes as strategic in our time as the study of sexuality was in Freud's time'.[78] Ymdebygai ei syniadau i rai Fromm a'r ôl-Freudiaid eraill yn hynny o beth gan iddo bwysleisio rhan ffactorau cymdeithasol, diwylliannol a hanesyddol yn natblygiad yr ego, yn ogystal â grymoedd y greddfau anymwybodol. Yn ôl Erikson, ni ellir gwahanu datblygiad seicolegol yr unigolyn o'i gyd-destun cymdeithasol. Fel yn achos Fromm, dadleuai fod hunaniaeth fewnol yr unigolyn yn ffenomen gymdeithasol yn ogystal â seicolegol, a adlewyrchai amgylchiadau allanol ei gymdeithas. Synthesis o'r bydoedd mewnol ac allanol a greai hunaniaeth unigol felly. Arweiniodd hynny at feirniadaeth hallt o syniadau'r ddau o du'r Freudiaid uniongred.[79]

Mae'n ddiddorol nodi i ddiddordeb Erikson mewn hunaniaeth godi yn bennaf o'r ffaith nad oedd yn gwybod pwy oedd ei dad. Ychwanegwyd at ei ddryswch fel gŵr ifanc oherwydd i'w fam, a oedd o deulu Iddewig, parchus yn Copenhagen, orfod symud i'r Almaen i roi genedigaeth iddo gan nad oedd yn briod. Teimlai ansicrwydd o ran ei hunaniaeth deuluol a chenedlaethol yn dilyn hynny trwy gydol ei oes. Mae'n debygol iawn yng nghyd-destun gwaith Erikson, Fromm a'u tebyg i syniadau ei gyfaill Gwilym O. Roberts ddylanwadu'n drwm ar J. R. Jones gan iddo draethu'n rheolaidd ac yn lliwgar tu hwnt ar syniadau'r seicolegwyr a gwestiynodd gwaith ffurfiannol Freud yn yr 1940au a'r 1950au yn ei golofn reolaidd i'r *Cymro*. Ceir toriadau mynych o golofn Gwilym O.

ymhlith papurau J. R. Jones, a bu'n fodlon cydnabod ei ddyled iddo'n rheolaidd yn ei ysgrifau ac erthyglau yn yr 1960au.[80] Yn wir, fe'i hamddiffynnodd yn gyhoeddus ac yn ddiamwys yn wyneb y feirniadaeth chwyrn a dderbyniodd am fentro ymdrin â materion yn ymwneud â rhywioldeb a seicoleg mewn modd mor onest ac agored yn ei golofn.

I ddychwelyd at ei ddefnydd penodol o'r cysyniad o hunaniaeth, mae'n dadlau mai absenoldeb hunaniaeth Gymreig ddigon cadarn a diamwys a arweiniodd cynifer o unigolion i gofleidio ideoleg Prydeindod. Yn y bennod ar ganlyniadau'r ideoleg mae'n crynhoi ei ddiagnosis o'r argyfwng hunaniaeth a welai o'i amgylch fel a ganlyn:

> dolur diymwybod sydd yma – hunan-ddirmyg a gor-barodrwydd i gydymffurfio yn codi o hollt hunaniaeth: y naill hunaniaeth yn crebachu a chywilyddio mewn cylch lle'r oedd yr hunaniaeth arall wedi ei hadeiladu i mewn i bopeth yn y fath drwch ag i wneud yr ymdeimlad yn llethol mai hi rywfodd oedd yr hyn oeddech chwi i fod.[81]

Datblygodd Erikson ei gysyniad o'r argyfwng hunaniaeth drwy astudiaeth seicolegol agos o filwyr Americanaidd a oedd yn ddi-oddef o siel-syfrdandod (*shellshock*) yn yr 1940au. Sylwodd fod ffactorau a newidiadau hanesyddol dramatig – yr Ail Ryfel Byd yn yr achos hwn – ym mlynyddoedd cynnar y milwyr fel oedolion wedi eu harwain i golli'r hyn a eilw'n eu *ego identity* trwy dorri ar draws yr elfennau teuluol, galwedigaethol a lleol yn eu bywydau a ffurfiodd yr hunaniaeth hwnnw.[82]

Yn achos Cymru'r cyfnod wedi'r Ail Ryfel Byd, dirywiad yr iaith Gymraeg a'i diffyg statws parhaol oedd yr amodau hanesyddol a chymdeithasol a arweiniodd at yr argyfwng hunaniaeth sy'n cael ei ddisgrifio yng ngwaith J. R. Jones. Dadleuodd fod yr amodau hynny'n fwyaf amlwg yn nhrefi Cymru lle'u gwelir yn 'amgylchynu dynion a deniadau a dylanwadau hunaniaeth arall a bair iddynt hollti ymaith oddi wrth eu hunaniaeth gyntaf a chael felly eu diberfeddu a'u heiddilo yng nghraidd eu personoliaeth'.[83] Math o argyfwng hunaniaeth dorfol a nodweddai'r ardaloedd hynny, yn ei dyb ef, a oedd yn gynnyrch ffactorau hanesyddol a gwleidyddol penodol, fel y dadleuodd Erik Erikson ac Erich Fromm yn eu gweithiau hwy.

Yn ei ysgrifau ar Brydeindod ac argyfwng Cymru yn yr 1960au, felly, gwelir Jones yn cymhwyso'r holl ddarllen a dysgu ym maes seicoleg o'r 1930au ymlaen a amlinellwyd yn y bennod hon i amgylchiadau penodol ei gymdeithas. Ei obaith wrth wneud hynny oedd y gallasai, trwy gynnig diagnosis mor gignoeth a diamwys o gyflwr seicolegol ei genedl, ddod â'r elfennau diymwybod oedd yn fwyaf cyfrifol amdano i'r golwg. Cysyniadau Freudaidd yn eu hanfod oedd rhai o gynseiliau pwysicaf yr ymgais hon, felly, ond trwy gymorth dylanwad ei gyfaill Gwilym O. Roberts a'i ddeall-twriaeth amlwg ei hun o theorïau seicolegol amgen Jung, Adler ac eraill, llwyddodd i wneud defnydd ymarferol o gysyniadau pwysig ôl-Freudaidd hefyd, fel rhai Erik Erikson yng nghyswllt hunaniaeth.

Gwilym O. Roberts

Fel y nodwyd eisoes, y dylanwad Cymraeg mwyaf ar J. R. Jones o ran ei ymdriniaeth â seicoleg oedd ei gyfaill oes Gwilym O. Roberts. Beth oedd rhai o syniadau'r seicolegydd lliwgar o Bwllheli felly, a sut y bu iddynt ddylanwadu ar feddwl ei ffrind ysgol? Ar ôl gadael Ysgol Ramadeg Pwllheli tua diwedd yr 1920au, aeth y ddau ymlaen gyda'i gilydd i Goleg Prifysgol Aberystwyth. Daeth Roberts o dan ddylanwad G. H. Green, un o ddarlithwyr y coleg ac awdur cyfrol gynnar ar seicdreiddiad ym myd addysg yn 1921, ond penderfynodd hyfforddi i fod yn weinidog wedi iddo raddio. Fe wedd newidiwyd ei fyd olwg, serch hynny, o'r foment y darganfu cyfrol Freud, *The Future of an Illusion*, ar silffoedd llyfrgell y coleg yn 1929.[84] Roedd amryw o ddogmâu ac athrawiaethau tra-ddodiadol crefydd uniongred yn annerbyniol iddo o hynny ymlaen, er iddo ddal gafael ar ei ffydd Gristnogol. Ymgais fu ei yrfa gyfan mewn gwirionedd i briodi darganfyddiadau seicdreiddiad gyda Christnogaeth i greu cyfanwaith a fyddai'n ystyrlon a pherthnasol i ddyn a dynes yr ugeinfed ganrif. Bu'n weinidog ym Manceinion a Stoke on Trent yn yr 1930au a'r 1940au, a derbyniodd hyfforddiant lawn fel seicolegydd ym Mhrifysgol Leeds yn ystod y cyfnod hwnnw. Daeth cyfle i gymryd swydd fel darlithydd mewn seicoleg glinigol yng Ngholeg Lewis and Clark, Portland yn yr Unol Daleithiau wedi'r Ail Ryfel Byd, a bu ef a'i deulu yno hyd 1953.

Dengys y dyfyniad canlynol rai o'r cysylltiadau pwysig a wnaeth yn ystod ei gyfnod yn America, a datgelir hefyd ei barodrwydd i gollfarnu Freud a chroesawu syniadau rhai o'r ôl-Freudiaid pwysicaf, yn arbennig eu beirniadaeth o batriarchaeth y cawr o Fienna:

> Anfoddhaol i'r eithaf hefyd yw dadansoddiad Freud o fentaliti'r ferch normal. A'r gyntaf i ddangos hynny oedd Dr. Karen Horney, meddyg o Iddewes oedd yn seicoanalyst ym Merlin cyn codi ohoni ei hunan a ffoi o flaen Hitler i'r America. Ac yno y cyfarfûm â hi.[85]

Cyfarfu hefyd â seicolegydd arall eithriadol o ddylanwadol yn ystod ei gyfnod yn yr Unol Daleithiau, sef Gordon Allport. Talodd Allport, a oedd yn athro seicoleg ym Mhrifysol Harvard gyda ffigyrau blaenllaw eraill yn y maes fel Henry Murray ac Erik Erikson, deyrnged i'r unig lyfr Saesneg a gyhoeddodd, *The Road to Love: How to Avoid the Neurotic Pattern*, yn 1950. Dywedodd y dylai'r gyfrol 'help many psychologists with their counselling problems, and I hope they have sense enough to use it'.[86]

Pan ddychwelodd Roberts i Gymru yng nghanol yr 1950au bu'n dysgu i Gymdeithas Addysg y Gweithwyr ac yn cynnig seicotherapi i unigolion yn ardal ei gartref ym Mhen Llŷn. Ond daeth y cyfle iddo rannu ei gyfuniad unigryw ac eclectig o syniadau'r tair prif ysgol seicolegol – seicdreiddiad, ymddygiadaeth a'r seicoleg hiwmanistig a dirfodol oedd yn dod i amlygrwydd yn y cyfnod wedi'r Ail Ryfel Byd trwy waith Carl Rogers, Abraham Maslow, Viktor Frankl ac eraill – gyda'i genedl trwy'r golofn wythnosol a ysgrifennodd i'r *Cymro* o 1958 hyd 1967. Cythruddodd lawer o ddarllenwyr mwy ceidwadol a thraddodiadol y papur o'r cychwyn cyntaf, a bu ei golofn yn bwnc llosg ar y dudalen llythyrau am flynyddoedd.[87]

Parodrwydd Roberts, o dan ddylanwad Freud a seicdreiddiad yn bennaf, i drafod materion yn ymwneud â rhyw a rhywioldeb yn gwbl agored ac onest oedd achos llawer o'r feirniadaeth a dderbyniodd, ynghyd â'i wrthwynebiad didderbynwyneb i grefydd gyfundrefnol, draddodiadol a'r ieithwedd hynafol a lynai wrthi. Cyfeiriodd at ysbrydoliaeth gwaith Pantycelyn wrth annog y sefydliadau crefyddol yng Nghymru i wneud defnydd o dechnegau seicotherapi yn ei golofn yn 1965: 'Casglaf fod angen dod â chynghori empathig i'r eglwys a'r capel, fel y daliodd Williams Pantycelyn mor odidog, oblegid nid yw pregethu, mae'n amlwg, yn delio'n effeithiol â phroblemau personol pobl.'[88] Dyfynnai'n aml yn ei golofn o'r llythyrau a anfonodd J. R. Jones ato i gefnogi ei ymgais i gydblethu seicotherapi a Christnogaeth. 'Nid torri'r efengyl i lawr yr ydych chwi fel nad erys dim ond rhyw dabloid diniwed ac nid anneniadol i oes a gyflyrwyd gan seicoleg', meddai yn un ohonynt, 'ond defnyddio'r *golau* seicolegol i dreiddio at y canfyddiad nad oes dim yn *hanfodol* yn y Testament Newydd ond "efengyl y derbyniad"'.[89]

Adleisia cyfraniadau Gwilym O. i'r *Cymro, Yr Herald* a nifer o gyfnodolion eraill fel *Y Gwyddonydd* hefyd syniadau ffigyrau dylanwadol rhyngwladol o'r cyfnod fel Alan Watts a Thomas Merton a geisiodd gyfuno doethineb o draddodiadau crefyddol y dwyrain a'r gorllewin yn eu gwaith.[90] 'Ac os ceir naws Iesu yn Gotama a Lao Tze,' dywedodd yn 1964, er enghraifft, 'ein rhesymol wasanaeth yw plygu iddo mewn Bwdistiaeth a Ffordd y Tao. 'D ydi o ddim o bwys am lebel. Yr ysbryd hwn sydd yn bywhau, nid y lebel.'[91] Ymdebyga'r cyflwr seicolegol delfrydol o 'lonyddwch effro' a ddarluniodd Roberts yn gyson trwy ei ysgrifau yn sicr i'r profiad o 'satori' neu ymoleuad a deffroad sy'n rhan mor ganolog o Fwdhaeth Zen. Roedd yn ddarllenydd eang ac yn feddyliwr eclectig a gyfeiriai yn aml yn ei golofn at awduron radicalaidd fel yr arloeswr sosialaidd Edward Carpenter a'r anarchydd Peter Kropotkin, yn ogystal â'r seicolegwyr ôl-Freudaidd Otto Rank, Harry Stack Sullivan, Fromm a Horney.

Yn ogystal â'i allu i gyfuno syniadau gwerthfawr o draddodiadau amrywiol, gwnaeth gyfraniad gwreiddiol a phwysig yn y cyfnod wedi'r Ail Ryfel Byd trwy gyflwyno syniadau'r seicoleg 'trydydd grym' (*third force*) a ddaeth i gysylltiad uniongyrchol â hwy yn yr Unol Daleithiau i'r diwylliant deallusol Cymraeg. Yn wahanol i'r seicoleg Freudaidd ac ymddygiadol a'i rhagflaenodd, roedd pwyslais seicoleg trydydd grym, a adnabyddwyd hefyd fel seicoleg hiwmanistig neu seicoleg ddirfodol yn yr 1950au a'r 1960au, ar drin a thrafod profiadau'r unigolyn yn y presennol er mwyn cynnig cymorth therapiwtig iddo neu iddi. Roedd diwinyddiaeth ddirfodol Tillich yn arbennig yn ddylanwad pwysig ar rai o arloeswyr yr ysgol ddirfodol o seicoleg, fel R. D. Laing a Rollo May, ac fel yn achos ysgrifau Harri Williams ar waith Tillich o'r un cyfnod, pwysleisiodd Gwilym O. mai'r profiad o gael ei dderbyn yn ddiamod oedd bwysicaf er mwyn adfer iechyd seicolegol yr unigolyn.

Cyflwynodd rai o'r syniadau hyn i gynulleidfa Gymraeg am y tro cyntaf yn ei deyrnged i'w gyn athro yng Ngholeg y Bala, David Phillips, yn 1952.[92] Ar ôl nodi iddo dderbyn seicdreiddiad o dan law Phillips tra'n fyfyriwr yn yr 1930au, cyffelyba ei dechneg therapiwtig â gwaith un o arloeswyr mwyaf seicoleg trydydd grym, sef Carl Rogers o Brifysgol Chicago. Roedd Volney Faw, cyfaill i Rogers, yn un o gyd-ddarlithwyr Roberts yng Ngholeg Lewis and Clark, a dysgodd dechnegau hypnotherapi dan ei gyfarwyddyd. Gwnaeth ddefnydd helaeth a buddiol o hypno-therapi gyda'i gleifion ar ôl dychwelyd i Gymru. Credai i David Phillips gyrraedd casgliadau tebyg iawn i Rogers ymhell cyn i'w waith ddod yn adnabyddus tu hwnt i'r Unol Daleithiau. 'Cyn i seicolegwyr clinigol glywed am *permissiveness* Clinig Prifysgol Chicago,' meddai, 'yr oedd Epistol Iago wedi dysgu David Phillips i fod yn "esgud i wrando diog i lefaru".'[93] Collfarnodd yr eglwysi yng Nghymru yn arwyddocaol ar ddiwedd ei ysgrif goffa am beidio dilyn esiampl Phillips. Trwy gydol erthyglau a cholofnau Roberts o'r 1950au ymlaen ceir yr un pwyslais â Rogers ac arloeswyr eraill therapi hiwmanistig-ddirfodol ar empathi a derbyn unig-olion yn ddiamod yn ystod eu triniaeth mewn modd anghyfeiriol (*non-directive*), a'r un anogaeth hefyd i'r sefydliadau crefyddol wneud defnydd o dechnegau'r seicotherapi mwyaf cyfoes. Eu hanallu i wneud hynny'n llwyddiannus yw un o'r rhesymau, fe ellir dadlau, pam fod eu dylanwad a'u cynulleidfaoedd wedi parhau i ddirywio yng Nghymru ers y cyfnod hwnnw.

Dengys y dyfyniad a ddewisodd J. R. Jones i gychwyn ei gyfrol olaf o ysgrifau a phregethau, *Ac Onide*, bod ei ddiddordeb mewn seicoleg, yn enwedig yr ysgol ddirfodol a ddatblygodd yn yr 1950au a'r 1960au ac a drafodwyd yn erthyglau Gwilym O., wedi aros yn fyw tan ddiwedd ei oes:

> A psychiatrist from the University of Vienna, Professor Viktor Frankl, says there is a 'world-wide phenomenon' which represents a 'major challenge to psychiatry'. He calls it the 'existential vacuum', and claims that growing numbers of patients are crowding clinics and consulting rooms complaining, not of classical neuroses, but of 'a sense of total meaninglessness in their lives'. Other psychiatrists have encountered the same phenomenon and it seems that one-fifth of all neuroses may now be of this kind.[94]

Yn hyn o beth, fe ellir dadlau mai cynnig diagnosis a dehongliad o'r gwahanol fathau o niwrosis a brofodd ei gyd-Gymry yn yr ugeinfed ganrif a wnaeth Jones trwy gydol ei waith. Gwnaeth hynny yn y gobaith a'r ffydd a rannai gyda'r aroleswyr rhyngwladol yn y maes y cyfeiriwyd atynt trwy'r gyfrol hon y gellid cynnig gwellhad ohonynt trwy eu hwynebu yn onest a threiddio i'w ffynhonnell. Am hynny, fe'i disgrifir yn aml fel proffwyd ers ei farwolaeth annhymig yn 1970, ond mae'n deg hefyd i'w gofio fel meddyg yr enaid clwyfedig Cymreig.

Casgliad

Ceisiwyd dangos yn y gyfrol hon bod yr ymateb ar ran ysgolheigion a llenorion Cymraeg i rai o dueddiadau deallusol ac athronyddol amlycaf y cyfnod rhwng tua diwedd y Rhyfel Byd Cyntaf a dechrau'r 1970au yn arbennig o werthfawr ac arwyddocaol am dri brif rheswm. Yn gyntaf, mae'r dadansoddiad gwreiddiol o seicdreiddiad a dirfodaeth a geir yng ngwaith J. R. Jones, John Gwilym Jones ac eraill yn parhau'n werthfawr ynddo'i hun fel cyflwyniad a chanllaw yn y Gymraeg i'r meysydd astrus hynny. Yn ail mae amrywiaeth a soffistigeiddrwydd y gwaith a gynhyrchwyd yn dangos pwysigrwydd y cyfnod dan sylw yn natblygiad y meddwl Cymreig a rhai o'r syniadau a rhagdybiaethau sy'n dal i lywio ein diwylliant deallusol heddiw, ar lefel ymwybodol ac anymwybodol. Ac yn drydydd, mae amryw o'r casgliadau a dynnodd yr awduron hyn wrth drin a thrafod gweithiau Freud, Sartre a'u tebyg yn parhau'n ddefnyddiol yn ymarferol, ac yn fwy na hynny'n ffynhonnell bwysig o ysbrydoliaeth inni heddiw wrth geisio ymateb i'r her sy'n wynebu'r diwylliant Cymraeg cyfoes.

Gwnaeth unigolion arwrol fel David Thomas a R. I. Aaron gyfraniad enfawr i'r drafodaeth o syniadau newydd, heriol rhwng 1920 ac 1970, ond dylid cofio yn bennaf oll eu bod yn rhan o gymuned a diwylliant deallusol cadarn a gefnogai fentrau fel y cyfnodolion arloesol – *Efrydiau Athronyddol* a *Lleufer* – oedd o dan eu golygyddiaeth. Yn ogystal â'r cyfnodolion newydd hyn a'r cyfresi o gyfrolau byr, poblogaidd a rhesymol eu pris a'u cychwynnwyd yn yr 1940au yn arbennig, roedd y wasg enwadol yn parhau'n gryf yn y cyfnod hwn ac yn cynnig cyfleoedd i awduron

drafod syniadau o bob math heb ymyrraeth olygyddol amlwg.
Gwelwyd, o ganlyniad, sut y daeth syniadau'r 'feddyleg newydd'
dan y chwyddwydr ym mhapurau enwadol fel *Yr Eurgrawn
Wesleaidd* a'r *Drysorfa*, ac yn amlach na pheidio fe wnaed hynny
gyda meddwl agored a pharodrwydd i gydnabod a thanlinellu
eu gwerth. Yn achos seicoleg y plentyn, er enghraifft, croesawid
y newid agwedd tuag at blant, gyda'i phwyslais cynyddol ar geisio
eu deall yn hytrach na'u cosbi, yn gyffredinol yn yr erthyglau
Cymraeg i drafod y pwnc. Cwestiynwyd yn rheolaidd hefyd a
ddylai'r sefydliadau crefyddol yr oedd y papurau hyn yn eu
cynrychioli wneud mwy i geisio cymhwyso a chynnwys gwersi'r
seicoleg newydd yn eu gwaith pob dydd, gydag unigolion caris-
matig fel Tom Nefyn a David Phillips yn arwain y ffordd.

Un o'r gwersi pwysicaf y gallwn ninnau eu cymryd, efallai, o
edrych yn ôl ar y cyfnod hwn yw pa mor allweddol oedd methiant
yr enwadau i gwrdd â her datblygiadau deallusol fel twf seicoleg
yn fwy pwrpasol ac egnïol. Er gwaethaf ymdrechion taer awduron
fel J. R. Jones, Gwilym O. Roberts a Harri Williams i geisio addasu
a moderneiddio'r ieithwedd Gristnogol er mwyn ei briodi gyda
mewnwelediadau pwysicaf Freud, Tillich ac eraill, anwybyddodd
prif ffrwd y sefydliadau crefyddol eu cyngor i raddau helaeth, gan
sicrhau yn y broses eu bod yn ymddangos yn fwyfwy amherth-
nasol a hen ffasiwn i'r niferoedd cynyddol a gollodd eu ffydd yn
yr ugeinfed ganrif. Wrth i'r enwadau traddodiadol ddirywio a
chrebachu, bu'r cynnydd ym mhoblogrwydd yr eglwysi efengyl-
aidd yng Nghymru wedi 1970, a ddeilliodd yn rhannol o'r ymateb
yn erbyn ymgais J. R. Jones ac eraill i foderneiddio'r bywyd Crist-
nogol, yn dueddiad a atgyfnerthodd ymddieithriad graddol y
mwyafrif o'r sefydliadau crefyddol, fe ellir dadlau. Trwy beidio
dilyn yr esiampl a osodwyd yng ngwaith arloesol a heriol Jones,
Roberts a'r deallusion eraill a geisiodd gymhwyso rhai o syniadau
newydd yr ugeinfed ganrif i'r neges Gristnogol, collwyd cyfle
euraid i arafu'r dirywiad graddol hwn, os nad ei wyrdroi.

Collwyd cyfle, ymhellach, i adeiladu ar y tebygrwydd a nodwyd
yng ngweithiau deallusion fel Tegla Davies a Saunders Lewis
rhwng y seiat Anghydffurfiol a'r dechneg seicdreiddiol o rannu a

dadansoddi profiadau trwy adfywio'r traddodiad hwn a'i addasu mewn i'r math o therapi grŵp a dyfodd mewn poblogrwydd yn rhyngwladol o'r 1960au ymlaen. Trwy wneud defnydd ymarferol o wersi seicoleg fodern i ailsefydlu'r seiat brofiad fel rhan ganolog o ddarpariaeth y capeli yng Nghymru gallasid bod wedi rhoi ystyr a pherthnasedd newydd i'w gwasanaethau, a gallasid gwneud hynny heddiw. Gallasai'r enwadau yng Nghymru yn y broses gwrdd yn well ag anghenion pob dydd pobl mewn cymunedau ledled y wlad, yn enwedig o ystyried pa mor gyffredin yw an-hwylderau seicolegol o wahanol fath yn ein cymdeithas gyfoes a pha mor niweidiol, fe ellir dadlau, yw'r gyfundrefn gyfalafol yn gyffredinol i'n hiechyd meddwl. Yn sicr, dylid ystyried yn ofalus agor drysau'r cannoedd o gapeli ac eglwysi ar hyd a lled Cymru sy'n aml yn wag a digroeso er mwyn cynnig gwasanaethau seico-legol a allai fod o gymorth amhrisiadwy, ac i hyfforddi eu staff yn gyflawn yn y sgiliau arbenigol a fyddai eu hangen i'w darparu, fel yr argymhellwyd y dylid gwneud yng ngwaith Tom Nefyn, Trefor Jones a Gwilym O. Roberts yn yr 1950au.

Pwyslais athronyddol dirfodaeth ar ryddid, profiad a bywyd fel mae'n cael ei fyw yw'r agwedd fwyaf parhaol a chyfoes ei werth o'r syniadaeth, fe ellir dadlau. Trwy gyflwyno'r syniadau dirfodol canolog yn y Gymraeg, fe wnaeth deallusion arloesol fel Myrddin Lloyd a Caryl Davies gymwynas enfawr a pharhaol â'r diwylliant Cymraeg, felly, sy'n gymorth amhrisiadwy inni heddiw geisio amgyffred, esbonio ac yn bwysicaf oll trafod ein profiadau pob dydd fel Cymry mewn ffordd ddealladwy, berthnasol ac adeiladol. Yn yr un modd, pwyslais ymarferol sydd i syniadau Freud a'i ddilynwyr yn ei hanfod, er mor rhyfedd ac annerbyniol i'r meddwl cyfoes y gall rhai o'u theorïau ymddangos. Hynny yw, ceisio lleddfu a distewi'r pryderon a'r anhwylderau sy'n aml yn ein poenydio oedd pwrpas a phwyslais eu gwaith i'n galluogi, yn y pendraw, i'w goresgyn a byw bywydau mwy llawn. Rhyddid yw'r rhinwedd a'r delfryd mae'r ddwy ysgol o feddwl yn rhannu felly, ac mae'r uchelgais i'w amddiffyn yr un mor bwysig yn ein cymdeithas gyfoes ag ydoedd yn y cyfnod dan sylw. Gwelwyd yn y bennod olaf sut y llwyddodd J. R. Jones a Gwilym O. Roberts i ddehongli ac ymgorffori agweddau o waith y seicdreiddwyr a'r dirfodwyr yng nghyd-destun y diwylliant Cymraeg nid yn unig er mwyn amlinellu a dehongli'r argyfwng a'i hwynebai ond yn bwysicach i gynnig llwybrau a fyddai'n arwain i gyflwr meddwl mwy bodlon ac iach, ar lefel yr unigolyn ac ar lefel cymdeithasol.

Ymhellach, roedd portread J. R. Jones yn ei gyfrol *Prydeindod* o'r rhwymau anymwybodol a oedd yn llesteirio a pharlysu'r Cymry yn yr 1960au yn rhan o ymgais mwy cyffredinol ar ran y mudiad cenedlaethol yng Nghymru wedi'r Ail Ryfel Byd i amlygu a than-linellu'r cyflwr meddwl o israddoldeb a oedd yn rhaid ei oresgyn er mwyn adennill ein rhyddid a hunan-barch fel cenedl. Cysyniad arloesol Alfred Adler o'r cymhleth israddoldeb oedd yr ysbrydol-iaeth ar gyfer y pwyslais newydd hwn o'r 1940au ymlaen, yn rhannol, ac roedd gwaith y dirfodwyr yn ddylanwad arwyddocaol hefyd. Yn bennaf oll, trwy ddadlau mor nerthol a diamwys bod rhyddid yn ein dwylo ac o fewn ein gafael, ar lefel bersonol a gwleid-yddol, cyn belled â'n bod yn fodlon gwneud ymrwymiad cadarn i'w ennill, bu syniadau Sartre a'r dirfodwyr modern eraill yn ganllaw ac yn arweiniad sy'n parhau'r un mor werthfawr heddiw. Mae'n amheus iawn a yw'r ymdeimlad o israddoldeb ar lefel anymwybodol a ddadansoddwyd yng ngwaith J. R. Jones ac eraill wedi diflannu o'r seice Cymreig dros yr hanner canrif ddiwethaf. Yn wir mae'n bosib dadlau ei fod wedi cryfhau, er gwaethaf datganoli a'r mesur pitw ac annigonol o hunanlywodraeth a ddaeth yn ei sgil.

Onid diffyg hyder a theimlad dwfn o israddoldeb sy'n gyfrifol am ein hanallu ac amharodrwydd fel cenedl i fynnu bod y broses o ddatganoli mae llywodraeth San Steffan wedi'i gynnig dros yr ugain mlynedd diwethaf yn un fwy cyflawn ac ystyrlon? Onid ymdeimlad seicolegol o ofn a diffyg hunanwerth a fu'n gyfrifol, ymhlith amryw o ffactorau pwysig eraill, am y ffaith i Gymru bleidleisio i adael yr Undeb Ewropeaidd yn 2016 a throi'n cefn ar y cysylltiadau gyda chenhedloedd eraill bychan yn Ewrop a allai arwain yn derfynol at ein rhyddid? Os oes gwerth mewn edrych unwaith eto i syniadau'r seicdreiddwyr a'r dirfodwyr am ysbryd-oliaeth, dichon y daw yn bennaf oll o'r modd y gallasant ein cynorthwyo i geisio deall y cyflwr meddwl ystyfnig hwn o israddol-deb a'r amharodrwydd i wneud ymrwymiad i geisio ennill rhyddid mwy llawn sy'n ei ddilyn, yn y gobaith o'i oresgyn.

Ymatebodd dwy genhedlaeth yng Nghymru i ddau argyfwng mwyaf yr ugeinfed ganrif, sef y Rhyfel Byd Cyntaf a'r Ail, yn yr 1920au ac 1930au, a'r 1950au ac 1960au mewn ffyrdd creadigol, effro ac eang eu hysbrydoliaeth a fyddai nid yn unig yn diogelu'r diwylliant Cymraeg a oedd o dan fygythiad yn eu sgil, ond hefyd yn ei adfywio. Rhyddid a chyfrifoldeb yw'r ddwy brif thema sy'n amlygu eu hunain yn y gweithiau athronyddol, diwinyddol a llenyddol a drafodwyd yn y gyfrol hon. Y peryg o'u hosgoi, ymhellach, sy'n cael ei danlinellu yng ngwaith J. R. Jones ac eraill, yn dilyn ysbrydoliaeth gweithiau deallusion mwyaf blaenllaw ei hoes yn rhyngwladol, fel rhai'r seicolegydd Marcsaidd Erich Fromm, yn bennaf oll *The Fear of Freedom*, a rhai'r dirfodwyr modern yn gyffredinol. Yr un yw'r her sy'n ein hwynebu yn ein cymdeithas gyfoes, ond fe ellir dadlau, gwaetha'r modd, bod tueddiadau gwleidyddol a diwylliannol yr ugain mlynedd diwethaf wedi arwain deallusion yn gynyddol i fethu ei gydnabod. Trwy gau, teneuo a thanseilio'r adrannau o fewn y prifysgolion yng Nghymru a fu'n feithrinfa i'w rhagflaenwyr wneud hynny, a thrwy orfodi'r academyddion sy'n parhau i gynnal yr adrannau bychain hynny i ganolbwyntio'n gynyddol ar ddysgu ac amryfal dasgau gweinyddol, bu'r modd y llywodraethwyd y gyfundrefn addysg uwch yng Nghymru dros y chwarter canrif ddiwethaf yn bennaf gyfrifol am y duedd niweidiol hon. Cwestiwn dirfodol dilynol sy'n rhaid ei ofyn yw sut allwn ddisgwyl deall ein hunain a'n profiadau fel cenedl heb unrhyw adran i drin a thrafod hanes Cymru yn benodol o fewn ein prifysgolion? Mae'r adrannau Cymraeg hefyd yn cael eu gwasgu a'u tynhau yn barhaol, nid fe ddylid pwysleisio oherwydd unrhyw brinder gallu neu ymroddiad deallusol ar ran ei staff, ond yn gyfan gwbl oherwydd amharodrwydd y prifysgolion maent yn rhan ohonynt i'w cefnogi'n ddigonol.

Mae'n briodol i gloi, felly, gyda galwad am adfywiad o'r chwilfrydedd a'r menter ddeallusol a nodweddai'r diwylliant Cymraeg rhwng yr 1920au a'r 1960au, o fewn cyfundrefn addysg drwyadl Gymraeg a fyddai'n sail ac yn gefnogaeth i'r gwaith hanfodol hwnnw. Gellir gwneud hynny ond trwy gynnig buddsoddiad a chefnogaeth ariannol a gwleidyddol gwirioneddol, hirdymor i'r adrannau a'r deallusion annibynnol sydd eisoes yn ceisio ymrafael â'r her, a thrwy edrych tu hwnt i Gymru ar gyfer syniadau newydd, yn yr un modd ag y gwnaeth Myrddin Lloyd, aelodau Cylch Cadwgan ac amryw eraill o'r ffigyrau y ceisiwyd dathlu eu gwaith a'u hymrwymiad yn y gyfrol hon. Gallwn, yn y broses, adeiladu cysylltiadau cryfach gyda chenhedloedd bychan sy'n gyfarwydd â'r un math o her dirfodol a wyneba Cymru yn yr ugeinfed ganrif ar hugain, gwaetha'r modd, fel y gwnaeth yn yr ugeinfed. Mae llanast Brexit dros y blynyddoedd diwethaf, a'r dyfodol ansicr sy'n ein hwynebu yn ei sgil, wedi tanlinellu ac atgyfnerthu'r angen dirfawr inni gryfhau'r cysylltiadau hyn a dewis ein llwybr ein hunain fel cenedl, yn dilyn cenadwri'r dirfodwyr. Dim ond trwy wneud hynny y daw'r meddwl Cymreig yn rhydd.

Nodiadau

Cyflwyniad

[1] Gweler John Davies, Menna Baines, Nigel Jenkins, Peredur Lynch (goln), *Gwyddoniadur Cymru yr Academi Gymreig* (Caerdydd: Gwasg Prifysgol Cymru, 2008), t. 483.

[2] Gweler Carl Jung, *The Archetypes and the Collective Unconscious* (Llundain: Routledge & Kegan Paul, 1959), a'r bennod 'The Social Unconscious' yng nghyfrol Erich Fromm, *Beyond the Chains of Illusion: My Encounter with Marx and Freud* (Efrog Newyd: Simon & Schuster, 1962).

[3] David Phillips, 'Lle'r Athrawiaeth yn y Bywyd Cristionogol', *Y Traethodydd*, CI/4 (Hydref 1946), 152.

[4] Gweler yn arbennig cyfrol arloesol Angharad Price, *Ffarwel i Freiburg: Crwydriadau Cynnar T. H. Parry-Williams* (Llandysul: Gwasg Gomer, 2013) ar gyfer ymdriniaeth o gefndir deallusol gweithiau creadigol T. H. Parry-Williams; Menna Baines, *Yng Ngolau'r Lleuad: Ffaith a Dychymyg yng Ngwaith Caradog Prichard* (Llandysul: Gwasg Gomer, 2005) ar fywyd a gwaith Caradog Prichard, a T. Robin Chapman, *Un Bywyd o Blith Nifer: Cofiant Saunders Lewis* (Llandysul: Gwasg Gomer, 2008) ar gyfer yr ymdriniaeth mwyaf llawn â gyrfa amrywiol Saunders Lewis.

[5] J. R. Jones, *Prydeindod* (Llandybïe: Llyfrau'r Dryw, 1966), t. 43.

[6] Gweler Llion Wigley, 'Plymio i'r Dyfnderoedd: Ymatebion Cynnar i Syniadau Sigmund Freud a'r "Feddyleg Newydd" yn yr iaith Gymraeg *c.*1918–1945', yn Angharad Price (gol.), *Ysgrifau Beirniadol XXXIV* (Dinbych: Gwasg Gee, 2016), tt. 89–112 ar gyfer ymdriniaeth estyndedig o'r gweithiau hyn.

[7] Myrddin D. Lloyd, 'Adolygiad o *Existentialism*', *Efrydiau Athronyddol*, X (1947), 53.

1 Meddygon yr Enaid

[1] Alun Llywelyn-Williams, 'Meddwl y Dau-Ddegau', yn *idem, Nes na'r Hanesydd: Ysgrifau Llenyddol* (Dinbych: Gwasg Gee, 1968), tt. 29–71.

[2] Llywelyn-Williams, 'Meddwl y Dau-Ddegau', t. 33.

[3] Llywelyn-Williams, 'Meddwl y Dau-Ddegau', t. 38.

[4] Gweler D. Emrys Evans, *The University of Wales: A Historical Sketch* (Caerdydd: Gwasg Prifysgol Cymru, 1953) ar gyfer y cefndir hwn a rhestr o'r penodiadau newydd o fewn Prifysgol Cymru yn yr 1920au a'r 1930au, tt. 149–69. Apwyntiwyd Ifor Williams yn athro yn y Gymraeg ym Mangor yn 1920, er enghraifft, a daeth R. T. Jenkins yn ddarlithydd annibynnol mewn hanes Cymru ym Mangor yn 1930.

[5] Griffith John Williams, 'Cyfres y Werin', *Y Llenor*, I (1922), 72.

[6] Williams, 'Cyfres y Werin', 71.

[7] Nell Vaughan Williams, 'Y Digrif', *Y Llenor*, VIII (1929), 208–14. Roedd yr ysgrif ddiddorol hon yn seiliedig ar ddosbarthiadau M. Victor Basel ym Mhrifysgol Paris a'i ymdriniaeth â syniadau Bergson yn arbennig.

[8] R. I. Aaron, 'Dod i Oed', *Efrydiau Athronyddol*, XXI (1958), 1.

[9] Aaron, 'Dod i Oed', 2.

[10] Aaron, 'Dod i Oed', 2.

[11] James Evans, 'Y Feddyleg Newydd', *Y Traethodydd*, LXXVII (Ebrill 1922), 98.

[12] D. G. Williams, *Llawlyfr ar Feddyleg* (Wrecsam: Hughes a'i Fab, 1924).

[13] Williams, *Llawlyfr ar Feddyleg*, t. 129.

[14] D. Miall Edwards, *Crefydd a Bywyd* (Dolgellau: Hughes Brothers, 1915), tt. 58–107.

[15] *Yr Efrydydd*, 1/2 (Tachwedd 1924), 54.

[16] *Yr Efrydydd*, 3/4 (15 Mehefin 1923), 109.

[17] *Yr Efrydydd* (15 Mehefin 1923), 110.

[18] Irel, 'Y Feddyleg Newydd: Pennod II', *Yr Heuwr*, XLI/489 (Medi 1930), 194.

[19] Edwin Jones, 'Y Feddyleg Newydd a'r Weinidogaeth', *Seren Gomer*, XXII/5 (Medi 1930), 195. Cafwyd trafodaeth ynglŷn â chyfieithu termau'r wyddor newydd i'r Gymraeg ar dudalennau'r *Llenor* yn y cyfnod hwn, gydag R. I. Aaron yn dadlau mai meddyleg oedd y term cywiraf ar gyfer *psychology*, yn hytrach na eneideg, gan mai nod y 'meddylegydd' yw 'disgrifio yn wyddonol brofiadau meddyliol dynion fel y dônt o ddydd i ddydd ac nid egluro natur ei enaid anfarwol'. Gweler R. I. Aaron, 'Nodyn ar gyfieithu'r gair "Psychology"', *Y Llenor*, 8 (1929), 243–4. Llunio rhestr o dermau seicoleg oedd un o'r tasgau cyntaf a

gyflawnodd Adran Athronyddol Urdd Graddedigion Prifysgol Cymru yn 1931. Gweler *Efrydiau Athronyddol*, I (1938), 73–4.

[20] Jones, 'Y Feddyleg Newydd a'r Weinidogaeth', 197.

[21] Daniel Evans, *Teithi Meddwl Ann Griffiths* (Lerpwl: Gwasg y Brython, 1932), t. 12.

[22] David, Phillips, *Y Traethodydd*, XVII/66 (Gorffennaf 1929), 190.

[23] R. R. Hughes, 'David Philips fel yr Adwaenwn i ef', *Y Goleuad* (19 Mawrth 1952), 4.

[24] Gwilym O. Roberts, 'Bywyd Teuluol Hapus', *Y Traethodydd*, XIV/1 (Ionawr 1945), 43.

[25] D. Miall Edwards, *Crefydd a Diwylliant* (Wrecsam: Hughes a'i Fab, 1934), t. 112.

[26] J. Arthur Mason, 'Moeseg yng Ngoleuni Meddyleg Ddiweddar: Rhan VII', *Yr Eugrawn Wesleaidd*, CXVI (Awst 1924), 295. Cyhoeddwyd ei erthygl mewn 11 rhan rhwng Chwefror a Rhagfyr 1924.

[27] David Lloyd, 'Gwrogaeth y Feddyleg Newydd i'r Greddfau', *Yr Efrydydd*, II/12 (Medi 1926), 329.

[28] Lloyd, 'Gwrogaeth y Feddyleg Newydd i'r Greddfau', 329.

[29] Lloyd, 'Gwrogaeth y Feddyleg Newydd i'r Greddfau', 330.

[30] J. Luther Thomas, 'Yr Enaid Claf', *Y Dysgedydd*, 105/2 (Chwefror 1926), 58.

[31] J. Lewis Williams, 'Y Feddyleg Newydd a Chrefydd', *Y Dysgedydd*, 114/2 (Chwefror 1933), 53–4.

[32] Evans, *Teithi Meddwl Ann Griffiths*, tt. 22–3.

[33] T. Alun Griffiths, 'Sylfeini moesoldeb: Rheoli ein greddfau rhywiol', *Y Crynhoad*, 1 (Hydref 1949).

[34] Griffiths, 'Sylfeini moesoldeb', 37.

[35] Griffiths, 'Sylfeini moesoldeb', 37.

[36] Gaius Evans, 'Teyrnas Nefoedd a Gwyddoniaeth', *Y Drysorfa*, CXXXVI/11 (Tachwedd 1966), 224.

[37] Evans, 'Teyrnas Nefoedd a Gwyddoniaeth', 224.

[38] Berian James, 'Deffiniadau: Personoliaeth', *Y Dysgedydd*, 112/4 (Ebrill 1931), 121.

[39] Euryn Hopkins, 'Crefydd Heddiw', *Y Dysgedydd*, 112/10 (Hydref 1931), 305.

[40] David Evans, *Y Wlad: Ei Bywyd, Ei Haddysg a'i Chrefydd* (Lerpwl: Gwasg y Brython, 1933), t. 233.

[41] Evans, *Y Wlad*, t. 233. Gweler Martin Buber, *Ich und Du* (1923), a'i gyhoeddwyd yn Saesneg fel *I and Thou* (Efrog Newydd: Scribner, 1937).

[42] Alwyn D. Rees, *Adfeilion* (Llandybïe: Llyfrau'r Dryw, 1943), t. 27.

[43] W. T. Gruffudd, *Crist a'r Meddwl Modern* (Abertawe: Jones a'i Fab, 1950), t. 42.

[44] R. D. Laing, *The Divided Self: An Existential Study in Sanity and Madness* (Llundain: Tavistock Publications, 1960).

[45] H. V. Morris-Jones, *Y Meddwl Gwyddonol a'r Efengyl: Darlith Davies 1964* (Caernarfon: Llyfrfa'r Methodistiaid Calfinaidd, 1975), t. 54.

[46] Morris-Jones, *Y Meddwl Gwyddonol a'r Efengyl*, t. 14.

[47] T. Ellis Jones, 'Anfarwoldeb yng Ngoleuni Seicoleg Ddiweddar', *Seren Gomer*, XXVII/1 (Ionawr 1935), 13. Gweler hefyd D. James Jones, 'Ymddygiadaeth', *Y Traethodydd*, LXXXV (Hydref 1930), 227–36.

[48] Jones, 'Anfarwoldeb yng Ngoleuni Seicoleg Ddiweddar', 14.

[49] G. Wynne Griffith, *Datblygiad a Datguddiad: Y Ddarlith Davies am 1942* (Lerpwl: Gwasg y Brython, 1946), t. 51.

[50] T. Trefor Jones, *Iechyd yng Nghymru* (Lerpwl: Gwasg y Brython, 1946).

[51] T. Trefor Jones, *Ar Lwybr Serch* (Dinbych: Gwasg Gee, 1945).

[52] Tom Nefyn Williams, *Yr Ymchwil* (Dinbych: Gwasg Gee, 1949). Gweler tt. 261–7 yn arbennig.

[53] Jones, *Iechyd yng Nghymru*, t. 62.

[54] Jones, *Iechyd yng Nghymru*, t. 62.

[55] Harri Parri, *Tom Nefyn: Portread* (Caernarfon: Gwasg Pantycelyn, 1999), t. 58. Gweler hefyd yr erthygl 'Meddyginiaethau'r Meddwl' gan Emyr H. Owen yn y gyfrol deyrnged, William Morris (gol.) *Tom Nefyn* (Caernarfon: Llyfrfa'r Methodistaid Calfinaidd, 1962), tt. 73–80.

[56] Ned Jones, 'Ffydd Gristnogol ac Iechyd Meddyliol', *Yr Ymofynydd*, L/2 (Chwefror 1950), 27.

[57] Jones, *Iechyd yng Nghymru*, t. 63.

[58] Jones, *Iechyd yng Nghymru*, t. 64.

[59] Jones, *Iechyd yng Nghymru*, t. 65.

[60] Jones, *Iechyd yng Nghymru*, t. 63.

[61] Jones, *Iechyd yng Nghymru*, t. 60.

[62] Gweler llyfr dylanwadol Erving Goffman, *Asylums* (Efrog Newydd: Anchor Books, 1961) a gweithiau R. D. Laing fel *The Divided Self* a *The Self and Others* (Llundain: Tavistock Publications, 1961) yn arbennig.

[63] T. Trefor Jones, *Gwyddor Serch* (Bala: Gwasg y Bala, 1953), tt. 34–5.

[64] Jones, *Gwyddor Serch*, t. 35.

[65] Cyfeirodd Roberts at y feirniadaeth yn un o'i ysgrifau i'r *Cymro* yn yr 1950au: 'Pan glywaf bobl yn galw gweithiau y Doctor T. Trefor Jones ar ryw a chariad yn anfoesol, cyfyd digalondid a hunan-dosturi'r hunan ynof i'r wyneb', ail-argraffwyd yn Gwilym O. Roberts, *Dryllio'r Holl Gadwynau* (Talybont: Y Lolfa, 1976), t. 70.

[66] J. H. Griffith, *Crefydd yng Nghymru* (Lerpwl: Gwasg y Brython, 1946), t. 57.

[67] Griffith, *Crefydd yng Nghymru*, t. 57.

[68] Francis Williams, 'Eneideg a Dirwest', *Y Gymraes*, XXXIV (Mawrth 1930), 37.

[69] Merfyn Turner, 'Un o'r Rhai Bychain Hyn', *Yr Eurgrawn Wesleaidd*, CXLIV/6 (Mehefin 1952), 154–8.

[70] Turner, 'Un o'r Rhai Bychain Hyn', 155.

[71] Turner, 'Un o'r Rhai Bychain Hyn', 158.

[72] Gweler Merfyn Turner, *O Ryfedd Ryw* (Llandysul: Gwasg Gomer, 1970).

[73] Gweler Saunders Lewis, *Williams Pantycelyn* (Llundain: Foyle's, 1927), tt. 49–57 yn arbennig.

[74] E. Tegla Davies, 'Eneideg a'r Profiad Crefyddol', *Yr Eurgrawn Wesleaidd*, CXXI (Mai 1929), 168.

[75] Jones, *Iechyd yng Nghymru*, t. 3.

[76] D. Tecwyn Lloyd, 'Golygydd Lleufer', yn Ben Bowen Thomas (gol.), *Lleufer y Werin: Cyfrol Deyrnged i David Thomas, M. A.* (Caernarfon: Cwmni Cyhoeddiadau Modern Cymreig, 1965), tt. 79–80.

[77] T. E. Nicholas, *Y Dyn a'r Gaib* (Dinbych: Llyfrau Pawb, Gwasg Gee, 1944), clawr cefn.

[78] Ceir rhestr o'r cyfrolau a gyhoeddwyd yn y gyfres hyd at 1946 ar glawr cefn cyfrol J. Ellis Williams, *Y Gŵr Drws Nesaf (a 'Sglodion Eraill)* (Llandybïe: Llyfrau'r Dryw, 1946).

[79] *Heddiw*, 6/7 (Chwefror 1941), 212.

[80] *Heddiw*, 2/3 (Ebrill 1937), 115. Pennawd yr hysbyseb yw 'At Gymry Ymhobman!'.

[81] Gweler erthygl D. Myrddin Lloyd, 'Y Clwb Llyfrau Cymreig', *Llais Llyfrau* (haf 1981), 15–16 ar gyfer hanes y clwb, gan gynnwys rhestr gyflawn o'r cyfrolau a gyhoeddwyd dan ei enw.

[82] E. Tegla Davies, *Y Sanhedrin, Adroddiad o'i Drafodaethau* (Llandysul: Y Clwb Llyfrau Cymreig, 1945).

[83] Davies, *Y Sanhedrin*, t. 12.

[84] William George, 'Yr Wythnos Lyfrau yn yr Amgueddfa Genedlaethol', *Y Clwb*, II (Ionawr 1938), 6.

[85] David Richards, 'Psycho-Analysis a Chrefydd', *Yr Efrydydd*, 105 (Mehefin ac Awst 1926), 233–6 (rhan I), 293–7 (rhan II), 295.

[86] *Y Dysgedydd* (Mehefin 1949), 139.

[87] David Richards, 'Achosion Rhyfel, a'u Symud', yn Simon B. Jones ac E. Lewis Evans (goln), *Ffordd Tangnefedd* (Llandysul: Gwasg Gomer, 1943), tt. 63–72.

[88] Richards, 'Achosion Rhyfel, a'u Symud', t. 68.

[89] Richards, 'Achosion Rhyfel, a'u Symud', t. 68.

[90] Richards, 'Achosion Rhyfel, a'u Symud', t. 68.

[91] Richards, 'Achosion Rhyfel, a'u Symud', tt. 70–1.

[92] Glyn Penrhyn Jones, 'Gwrando'r Lleisiau Dieithr', *Y Drysorfa*, XXX/11 (Tachwedd 1950), 302.

[93] Jones, 'Gwrando'r Lleisiau Dieithr', 302.

[94] Jones, 'Gwrando'r Lleisiau Dieithr', 304.

[95] Jones, 'Gwrando'r Lleisiau Dieithr', 305.

[96] Griffith Evans, 'Iechydwriaeth ac Iechyd', *Y Drysorfa*, CXXII/12 (Rhagfyr 1952), 263.

[97] Evans, 'Iechydwriaeth ac Iechyd', 265.

[98] J. E. Daniel, 'Duw a'r Anymwybod', *Efrydiau Catholig*, VI (1954), 13–16.

[99] Daniel, 'Duw a'r Anymwybod', 14.

[100] Daniel, 'Duw a'r Anymwybod', 16.

[101] J. T. Jones, 'Williams Pantycelyn', *Y Drysorfa*, CXVIII/10 (Hydref 1948), 269.

[102] Glyn Lewis, 'Freud a Llenyddiaeth', *Efrydiau Athronyddol*, XII (1949), 26.

[103] Gweler Rees, *Adfeilion*, t. 36 yn arbennig.

[104] D. V. Davies, 'Seicoleg Crefydd a'r Meddwl Annormal', *Efrydiau Athronyddol*, XX (1957), 24–33.

[105] Davies, 'Seicoleg Crefydd a'r Meddwl Annormal', 31.

[106] D. V. Davies, 'Symbolau mewn Seicoleg', *Efrydiau Athronyddol*, XXVI (1963), 35–42.

[107] Harri Williams, 'Jung a'r Enaid', *Y Drysorfa*, CXXXI/7 (Gorffennaf 1961), 80.

[108] Gweler Carl Jung, *Modern Man in Search of a Soul* (Llundain: Kegan Paul, 1933).

[109] *Y Traethodydd*, XXV/1 (Ionawr 1957), 144.

[110] *Y Traethodydd* (Ionawr 1957), 144.

[111] Eurfyl Jones, *Jung* (Dinbych: Gwasg Gee, 1985).

2 *Tywyll Heno?*

[1] Gweler yn arbennig Angharad Price, *Ffarwel i Freiburg: Crwydriadau Cynnar T. H. Parry-Williams* (Llandysul: Gwasg Gomer, 2013); Bleddyn Owen Huws, *Pris Cydwybod: T. H. Parry-Williams a Chysgod y Rhyfel Mawr* (Talybont: Y Lolfa, 2018); Menna Baines, *Yng Ngolau'r Lleuad: Ffaith a Dychymyg yng Ngwaith Caradog Prichard* (Llandysul: Gwasg

Gomer, 2005) ac Alan Llwyd, *Waldo: Cofiant Waldo Williams 1904–1971* (Talybont: Y Lolfa, 2014).

[2] D. Tecwyn Lloyd, *Erthyglau Beirniadol* (Llandysul: Y Clwb Llyfrau Cymreig, 1946), t. 45.

[3] Lloyd, *Erthyglau Beirniadol*, t. 49.

[4] Lloyd, *Erthyglau Beirniadol*, t. 50.

[5] Lloyd, *Erthyglau Beirniadol*, t. 51.

[6] Lloyd, *Erthyglau Beirniadol*, t. 69.

[7] Lloyd, *Erthyglau Beirniadol*, t. 69.

[8] Lloyd, *Erthyglau Beirniadol*, t. 17.

[9] Lloyd, *Erthyglau Beirniadol*, t. 17.

[10] Lloyd, *Erthyglau Beirniadol*, t. 76.

[11] Lloyd, *Erthyglau Beirniadol*, t. 77.

[12] Lloyd, *Erthyglau Beirniadol*, t. 77.

[13] Glyn Lewis, 'Freud a Llenyddiaeth', *Efrydiau Athronyddol*, XII (1949), 16–29.

[14] Lewis, 'Freud a Llenyddiaeth', 25.

[15] Gweler atgofion ei ysgrifyneddes Evelyn Feldmann, 'Thirty Days with Alfred Adler', *https://pdfs.semanticscholar.org/de93/ d7aec3a8f121532748310ae146600ef850bd.pdf* (cyrchwyd 23 Medi 2018), ac hefyd bywgraffiad Phyllis Bottome, *Alfred Adler: Apostle of Freedom* (Llundain: Faber & Faber, 1939), lle dywedir: 'A lecture had been arranged at the University of Cardiff, and Adler was deeply interested in this keen and wide-awake city', t. 246. Roedd Albert Schweitzer, ffigwr pwysig arall a ddylanwadodd ar ddiwinyddion a deallusion Cymraeg y cyfnod, wedi dod i Gymru y flwyddyn flaenorol i roi darlith yng Ngholeg y Brifysgol, Aberystwyth. Gweler *Yr Efrydydd*, 1/2 (Ionawr 1936), 94–6.

[16] Lewis, 'Freud a Llenyddiaeth', 28.

[17] Gareth Alban Davies, 'Llenyddiaeth Gyfoes Ffrainc a Chymru', *Y Fflam*, 1/8 (Awst 1949), 29.

[18] Davies 'Llenyddiaeth Gyfoes Ffrainc a Chymru', 30.

[19] Aneirin Talfan Davies, *Yr Alltud: Rhagarweiniad i Weithiau James Joyce* (Llundain: Gwasg Foyle, 1944), t. 78.

[20] Davies, *Yr Alltud*, t. 76.

[21] Nefydd Owen, 'Bugeiliaid Newydd Sydd', *Heddiw*, 6/3 (Awst 1940), 90–2.

[22] Owen, 'Bugeiliaid Newydd Sydd', 92.

[23] Owen, 'Bugeiliaid Newydd Sydd', 92.

[24] Owen, 'Bugeiliaid Newydd Sydd', 92.

[25] Gwilym R. Jones, 'Y Canu Newydd', *Heddiw*, 3/3 (Hydref 1937), 87.

[26] Alun Llywelyn-Williams, *Gwanwyn yn y Ddinas* (Dinbych: Gwasg Gee, 1975), t. 102.

[27] Glyn Jones, 'Nodiadau ar Surrealistiaeth', *Tir Newydd*, 10 (Tachwedd 1937), 11–14.

[28] Glyn Jones, *The Island of Apples* (Llundain: Dent, 1965).

[29] Jones, 'Nodiadau ar Surrealistiaeth', 14.

[30] Lotta Rowlands, 'Dau ddarn surrealistig', *Tir Newydd*, 8 (Mai 1937), 4–5.

[31] Rowlands, 'Dau ddarn surrealistig', 4.

[32] Gweler hefyd cyfrol Cyril Cule, *Cymro ar Grwydr* (Llandysul: Gwasg Gomer, 1941), lle mae'n disgrifio ei deithiau yn Sbaen, Ffrainc ac yn fwyaf arwyddocaol, o safbwynt cyfoes, yn Syria a Libanus.

[33] J. Gwyn Griffiths, 'At y Golygydd: Llythyr ar Ffasgiaeth' a J. Williams Hughes, 'Dolur Sbaen', *Tir Newydd*, 10 (Tachwedd 1937), 6–9 ac 16–19.

[34] Griffiths, 'At y Golygydd', 8.

[35] Llywelyn-Williams, *Gwanwyn yn y Ddinas*, t. 104.

[36] J. Kitchener Davies, 'Ing Cenhedloedd', *Y Fflam*, 1/1 (Tachwedd 1946), 47.

[37] Elsbeth Evans, 'Barddoniaeth Caradog Prichard', *Y Llenor*, XXI (1942), 114.

[38] Evans, 'Barddoniaeth Caradog Prichard', 114.

[39] Gweler Caradog Prichard, *Afal Drwg Adda* (Dinbych: Gwasg Gee, 1973), tt. 110–12 a Baines, *Yng Ngolau'r Lleuad*, tt. 288–9.

[40] Idwal Jones, 'Sigmund Freud', *Efrydiau Athronyddol*, VII (1944), 39–56. Daw'r dyfyniad o d. 53.

[41] Evans, 'Barddoniaeth Caradog Prichard', 118.

[42] Saunders Lewis, 'Y Briodas: Dehongliad', *Y Llenor*, VI (1927), 209.

[43] Gweler Saunders Lewis, *Williams Pantycelyn* (Llundain: Foyles, 1927) yn arbennig.

[44] John Gwilym Jones, 'Moderniaeth mewn Barddoniaeth', yn J. E. Caerwyn Williams (gol.), *Ysgrifau Beirniadol V* (Dinbych: Gwasg Gee, 1967), tt. 171–2.

[45] Hugh Bevan, 'Y Goeden Eirin', *Y Llenor*, XXVI (1947), 97.

[46] Joan N. Harding, 'O'r Newydd', *Y Llenor*, XXVII (1948), 201.

[47] Harding, 'O'r Newydd', 201.

[48] Cynan, 'Y Goeden Eirin', *Lleufer*, III/2 (haf 1947), 64–8.

[49] Cynan, 'Y Goeden Eirin', 65.

[50] John Gwilym Jones, *Y Dewis* (Dinbych: Gwasg Gee, 1939), t. 14.

[51] Jones, *Y Dewis*, t. 73.

[52] Saunders Lewis, *Crefft y Stori Fer* (Llandysul: Gwasg Gomer, 1949), t. 73.

[53] Lewis, *Crefft y Stori Fer*, t. 74.

[54] John Gwilym Jones, *Y Goeden Eirin* (Dinbych: Gwasg Gee, 1946), t. 58.

[55] Jones, *Y Goeden Eirin*, t. 43.

[56] John Rowlands, *John Gwilym Jones* (Caernarfon: Gwasg Pantycelyn, 1988), t. 9.

[57] Gwilym R. Jones, *Y Purdan* (Dinbych: Gwasg Gee, 1942).

[58] Jones, *Y Purdan*, t. 42.

[59] Adolygiad Morris Thomas o *Y Purdan* a nofel John Gwilym Jones, *Y Dewis*, yn *Y Traethodydd*, XCVIII/427 (Ebrill 1943), 94.

[60] Dafydd Jenkins, *Y Nofel: Datblygiad y Nofel Gymraeg ar ôl Daniel Owen* (Caerdydd: Llyfrau'r Castell, 1949), t. 19.

[61] Jenkins, *Y Nofel*, t. 19.

[62] Kate Bosse-Griffiths, *Anesmwyth Hoen* (Llandybïe: Llyfrau'r Dryw, 1941).

[63] 'Dylanwad Cylch Cadwgan Adeg y Rhyfel', *Barn*, 80 (Mehefin 1969), 3.

[64] Bosse-Griffiths, *Anesmwyth Hoen*, t. 71.

[65] Bosse-Griffiths, *Anesmwyth Hoen*, t. 43.

[66] Gweler Kate Bosse-Griffiths, *Teithiau'r Meddwl* (Talybont: Y Lolfa, 2004), t. 78 ar gyfer rhestr gyflawn o'r 40 erthygl yng nghyfres 'Proffwydi'r Ganrif Hon'. Cyhoeddwyd ei hysgrif ar Lao Tse yn *Seren Gomer* (Mai 1942) ac fe'i hail-gyhoeddwyd yn Kate Bosse-Griffiths, *Teithiau'r Meddwl* (Talybont: Y Lolfa, 2004), tt. 37–43.

[67] *Heddiw*, 7/4 (Medi–Rhagfyr 1942).

[68] Elena Puw Morgan, *Y Graith* (Llandysul: Y Clwb Llyfrau Cymreig, 1943).

[69] Cyhoeddwyd eu gohebiaeth yn ddiweddarach: Iorwerth C. Peate (gol.), *John Cowper Powys: Letters, 1937–1954* (Caerdydd: University of Wales Press, 1974). Dywed Peate yn ei ragarweiniad: 'My friends the late John Morgan and Mrs Elena Puw Morgan . . . pressed me to visit the "wonderful man" who was living in a council-estate house, Cae Coed, just above the town', t. ix. Symudodd Powys i Flaenau Ffestiniog yn 1955 a bu farw yn 1964.

[70] Gweler, er enghraifft, John Cowper Powys, *The Art of Happiness* (Llundain: The Bodley Head, 1935). Gweler rhagarweiniad pwysig wyresau Morgan, Mererid Puw Davies ac Angharad Puw Davies, i'r argraffiad newydd o'i nofel gyntaf, *Nansi Lovell* (arg. newydd; Dinas Powys: Honno, 2018), tt. 9–25 ar gyfer mwy o wybodaeth am ei chefndir a'i chylch o ffrindiau yng Nghorwen. Roedd Powys hefyd ymhlith tri o'r ffigyrau pwysicaf yn natblygiad y meddwl anarchistaidd ym Mhrydain yr ugenifed ganrif a fu'n byw yng ngogledd Cymru yn ystod

y 1940au a'r 1950au, ynghyd â Bertrand Russell ac A. S. Neill. Gweler cyfrol arbennig David Godway, *Anarchist Seeds Beneath the Snow: Left-Libertarian Thought and British Writers from William Morris to Colin Ward* (Lerpwl: Liverpool University Press, 2006), tt. 93–123.

71 Jane Ann Jones, *Y Bryniau Pell* (Dinbych: Gwasg Gee, 1949), t. 35. Lleolir y nofel mewn tref yng ngogledd-ddwyrain Cymru ym mlynyddoedd cyntaf yr Ail Ryfel Byd. Ceir adolygiad Elena Puw Morgan ei hun o'r nofel hon yn *Y Fflam*, 11 (Awst 1952), 48–50. Ffugenw a ddefnyddiodd Louie Myfanwy Davies (1908–68) ar gyfer ei gweithiau llenyddol oedd Jane Ann Jones.

72 Olwen Walters (gol.), *O'r Newydd: Casgliad o Storïau Gan Awduron Cyfoes* (Caerdydd: Llyfrau'r Castell, 1948).

73 Walters (gol.), *O'r Newydd*, t. 50.

74 Gwilym R. Jones, 'Ail-Gloriannu Elena Puw Morgan', *Y Faner* (10 Chwefror 1984), 13.

75 Francis Williams, 'Eneideg a Dirwest', *Y Gymraes*, XXXIV (Mawrth 1930).

76 Edwin Jones, 'Y Feddyleg Newydd a'r Weinidogaeth', *Seren Gomer*, XXII/5 (Medi 1930), 201.

77 Jones, 'Y Feddyleg Newydd a'r Weinidogaeth', 201.

78 Gweler John Tudno Williams, 'Addysg', yn John Gwynfor Jones (gol.), *Hanes Methodistiaeth Galfinaidd Cymru: Cyfrol IV, Yr Ugeinfed Ganrif* (Caernarfon: Gwasg y Bwthyn, 2017), t. 239. Ar gyfer stori cyfnod George M. Ll. Davies yn gweithio gyda phobl ifanc, gweler ei bamffled yng nghyfres Pamffledi Heddychwyr Cymru, *Triniaeth Troseddwyr* (Dinbych: Gwasg Gee, 1944) lle mynega ei edmygedd o'r Americanwr chwyldroadol Homer Lane, a fu'n arloeswr yn y maes.

79 Gweler Jonathan Croall, *Neill of Summerhill: The Permanent Rebel* (Llundain: Routledge and King Paul, 1983), tt. 265–83 a hunangofiant A. S. Neill, *Neill, Neill, Orange Peel* (Llundain: Hart, 1972) ar gyfer stori gyflawn cyfnod anhapus yr ysgol yng Nghymru.

80 Marian Elis, 'Elena Puw Morgan', *Taliesin*, 53 (1985), 67.

81 Elena Puw Morgan, *Y Wisg Sidan* (Llandysul: Y Clwb Llyfrau Cymreig, 1939).

82 Jones, 'Ail-Gloriannu Elena Puw Morgan', 13.

83 Morgan, *Y Graith*, t. 225.

84 Morgan, *Y Graith*, t. 228.

85 Kate Roberts, *Stryd y Glep* (Dinbych: Gwasg Gee, 1949), *Y Byw Sy'n Cysgu* (Dinbych: Gwasg Gee, 1956), *Tywyll Heno* (Dinbych: Gwasg Gee, 1962).

86 Roberts, *Stryd y Glep*, tt. 93–4.

[87] Gweler Daniel Burston, *The Crucible of Experience: R. D. Laing and the Crisis of Psychotherapy* (Caergrawnt, MA: Harvard University Press, 2000) ar gyfer yr ymdriniaeth mwyaf treiddgar o syniadau Laing a'u dylanwad ehangach.

[88] Roberts, *Y Byw sy'n Cysgu*, t. 109.

[89] Gweler John Emyr, *Enaid Clwyfus* (Dinbych: Gwasg Gee, 1976), t. 239.

[90] Roberts, *Y Byw sy'n Cysgu*, t. 243.

[91] Roberts, *Y Byw sy'n Cysgu*, t. 116.

[92] R. D. Laing, *The Divided Self* (Llundain: Tavistock Publications, 1960).

[93] R. D. Laing ac Aaron Esterson, *Sanity Madness and the Family* (Llundain: Tavistock Publications, 1964). Gweler hefyd *Journal of Psychosocial Studies, Special Edition: Sanity, Madness and the Family – a retrospective*, 11/1 (April 2018) sy'n cynnwys erthyglau gan Hilary Mantel, Lynne Segal ac eraill ar bwysigrwydd y gyfrol hon, *http://www.psychosocial-studies-association. org/volume-11-issue-1-april-2018/* (cyrchwyd 25 Ionawr 2019), a chyfrol Gavin Miller, *R. D. Laing* (Caeredin: Edinburgh University Press, 2004), sy'n cynnwys pennod ar y cysyniad o 'Scottish Psychoanalysis'.

[94] Roberts, *Tywyll Heno*, siaced lwch yr argraffiad cyntaf.

[95] Roberts, *Tywyll Heno*, t. 6.

[96] Roberts, *Tywyll Heno*, t. 66.

[97] Roberts, *Tywyll Heno*, t. 36.

[98] Roberts, *Tywyll Heno*, t. 36.

[99] M. David Enoch, 'Tywyll Heno a'r Seiciatryddion', *Barn*, 96 (Hydref 1970), 10–11.

[100] Enoch, 'Tywyll Heno a'r Seiciatryddion', 11. Gweler hefyd R. D. Laing, *The Politics of Experience and the Bird of Paradise* (Harmondsworth: Penguin, 1967).

[101] Cynyddodd y nifer o bresgripsiynau ar gyfer gwrthiselyddion ym Mhrydain o 290,393 yn 2015–16 i 330,616 yn 2017–18, gyda'r cynnydd mwyaf ymysg plant a phobl ifanc; *https://www.bbc.co.uk/news/ health-44821886* (cyrchwyd 24 Medi 2018).

[102] Gweler gwefan arbennig *meddwl.org* yn arbennig, a fu'n arloesol yn y modd mae'n cynnig cyfle i unigolion drafod ei anhwylderau seicolegol yn onest ac agored yn y Gymraeg. Gweler hefyd gyfrol arbennig Malan Wilkinson, *Rhyddhau'r Cranc* (Talybont: Y Lolfa, 2018).

3 Argyfwng ac Ymrwymiad

[1] Oswald R. Davies, *Crefydd a'r Gymdeithas Newydd* (Lerpwl: Gwasg y Brython, 1947), t. 14. Mae cyfrol ddiddorol ac eclectig Davies yn rhan o Gyfres Pobun (gweler pennod 1).

[2] Alun Page, 'Jean-Paul Sartre', *Barn*, 73 (Tachwedd 1968), 17.

[3] Gweler yn arbennig cyfrol Albert Camus, *Le Myth De Sisyphe* (Paris: Gallimard, 1942) ar gyfer y diffiniad mwyaf eglur o'i athroniaeth.

[4] Dyfynnir Sartre yn Kevin Aho, *Existentialism: An Introduction* (Caergrawnt: Polity Press, 2014), t. 103.

[5] Gweler cyfiethiad Harri Webb o erthygl Jean-Paul Sartre, 'The Burgos Trials', a gyhoeddwyd yn *Planet*, 9 (December 1971/January 1972), 3–21. Bu *Planet*, o dan olygyddiaeth Ned Thomas a'i olynwyr, yn allweddol ym mharhad rhyngwladoldeb Gymreig o 1970 ymlaen.

[6] D. Myrddin Lloyd, 'Søren Aabye Kierkegaard', *Efrydiau Athronyddol*, III (1940), 36–57.

[7] D. Myrddin Lloyd, 'Guido De Ruggiero: *Existentialism*', *Efrydiau Athronyddol*, X (1947), 53–5.

[8] Lloyd, 'Guido De Ruggiero: *Existentialism*', 55.

[9] Lloyd, 'Guido De Ruggiero: *Existentialism*', 53.

[10] Lloyd, 'Guido De Ruggiero: *Existentialism*', 53–4.

[11] Lloyd, 'Guido De Ruggiero: *Existentialism*', 54.

[12] Lloyd, 'Guido De Ruggiero: *Existentialism*', 54.

[13] D. Myrddin Lloyd, 'Y Ddirfodaeth Gyfoes yn Ffrainc: Marcel a Sartre', *Efrydiau Athronyddol*, XI (1948), 3–34. Daw'r cyfeiriad at Marcel o Aho, *Existentialism: An Introduction*, t. ix.

[14] Martin Woessner, 'Angst Across the Channel: Existentialism in Britain', yn Jonathan Judaken and Robert Bernasconi (goln), *Situating Existentialism: Key Texts in Context* (Efrog Newydd: Columbia University Press, 2012), tt. 145–80.

[15] Woessner, 'Angst Across the Channel' t. 149. Daw'r dyfyniad gwreiddiol o erthygl Trevor-Roper, 'The Strange Vacuum that is Germany', *New York Times*, 6 Gorffennaf 1947.

[16] Lloyd, 'Y Ddirfodaeth Gyfoes yn Ffrainc', 14.

[17] Lloyd, 'Y Ddirfodaeth Gyfoes yn Ffrainc', 17. Daw'r dyfyniad gwreiddiol o Gabriel Marcel, *Etre et Avoir* (Paris: Aubier, 1935), t. 175.

[18] Lloyd, 'Y Ddirfodaeth Gyfoes yn Ffrainc', 20.

[19] Lloyd, 'Y Ddirfodaeth Gyfoes yn Ffrainc', 21.

[20] Lloyd, 'Y Ddirfodaeth Gyfoes yn Ffrainc', 21.

[21] Lloyd, 'Y Ddirfodaeth Gyfoes yn Ffrainc', 22.

[22] Lloyd, 'Y Ddirfodaeth Gyfoes yn Ffrainc', 23.

[23] Lloyd, 'Y Ddirfodaeth Gyfoes yn Ffrainc', 25.

[24] Lloyd, 'Y Ddirfodaeth Gyfoes yn Ffrainc', 26.

[25] Lloyd, 'Y Ddirfodaeth Gyfoes yn Ffrainc', 27.

[26] Lloyd, 'Y Ddirfodaeth Gyfoes yn Ffrainc', 28–9.

[27] Lloyd, 'Y Ddirfodaeth Gyfoes yn Ffrainc', 29.

[28] R. Ifor Parry, *Diwinyddiaeth Karl Barth* (Llandybïe: Llyfrau'r Dryw, 1949), t. 7.

[29] W. T. Gruffudd, *Crist a'r Meddwl Modern* (Abertawe: Jones a'i Fab, 1951).

[30] Gruffudd, *Crist a'r Meddwl Modern*, t. 93.

[31] Gruffudd, *Crist a'r Meddwl Modern*, t. 93.

[32] Yn ôl atgof Stephen Griffiths o gyfraniadau Waldo i gyfarfodydd y Crynwyr yn ei ardal: 'Weithiau, caem syniadau o weithiau Tolstoi, Berdyaev, Sartre, Barth neu o athroniaeth rhyw ddiwinydd.' Stephen Griffiths, 'Waldo Williams, Y Crynwr', yn Robert Rhys (gol.), *Waldo Williams: Cyfres y Meistri (2)* (Abertawe: Christopher Davies, 1981), t. 106. Datgela'r rhestr o lyfrau Waldo a gyhoeddwyd ar-lein yn 2018 bod cyfrol boblogaidd H. J. Blackham, *Six Existentialist Thinkers* (Llundain: Routledge, 1961) yn rhan o'i gasgliad, ynghyd â chyfrolau ar Kierkegaard, Buber a Jung. Gweler: *https://cy.wikipedia.org/wiki/Rhestr_o_lyfrau_personol_Waldo_Williams* (cyrchwyd 29 Tachwedd 2018).

[33] Jonah Wyn Williams, 'Athroniaeth Nicolas Berdyaev', *Lleufer*, XI/1 (gwanwyn 1955), 31.

[34] Williams, 'Athroniaeth Nicolas Berdyaev', 31.

[35] Williams, 'Athroniaeth Nicolas Berdyaev', 33.

[36] Hywel D. Lewis, 'Yr Argyfwng a'r Cristion', yn *idem*, *Dilyn Crist: Anerchiadau Crefyddol* (Bangor: Jarvis a Foster, 1951), tt. 11–22.

[37] Ambrose Bebb, *Yr Argyfwng* (Llandybïe: Llyfrau'r Dryw, 1956).

[38] Lewis, 'Yr Argyfwng a'r Cristion', t. 15.

[39] Lewis, 'Yr Argyfwng a'r Cristion', t. 15.

[40] Hywel D. Lewis, 'Argyfwng a Datguddiad', *Efrydiau Athronyddol*, X (1947), 19.

[41] Meirion Roberts, 'Dyn a'i Dynged', *Y Llenor*, XXVII (1948), 88.

[42] Roberts, 'Dyn a'i Dynged', 88.

[43] Roberts, 'Dyn a'i Dynged', 88.

[44] Roberts, 'Dyn a'i Dynged', 89.

[45] J. E. Meredith, 'Athroniaeth Hen a Newydd', *Yr Efrydydd*, I/2 (1950), 59.

[46] Meredith, 'Athroniaeth Hen a Newydd', 59.

[47] Meredith, 'Athroniaeth Hen a Newydd', 60–1.

[48] D. J. Jenkins, 'Yr Ateb Cristionogol i Sefyllfa'r Byd Meddyliol', *Seren Gomer*, XLII/5 (Medi/Hydref 1950), 104–9.

[49] Jenkins, 'Yr Ateb Cristionogol', 106.

[50] Jenkins, 'Yr Ateb Cristionogol', 107.

[51] John Price, 'Rhyddid: Rhan I', *Yr Eugrawn Wesleaidd*, XLVI/8 (Awst 1954), 202.

[52] Price, 'Rhyddid: Rhan I', 203.

53 Price, 'Rhyddid: Rhan II' (Medi 1954), 229.

54 Price, 'Rhyddid: Rhan II', 230.

55 J. H. Griffith, *Crefydd yng Nghymru* (Lerpwl: Gwasg y Brython, 1946).

56 Griffith, *Crefydd yng Nghymru*, t. 75.

57 Griffith, *Crefydd yng Nghymru*, tt. 76–7.

58 J. Gwyn Griffiths, *I Ganol y Frwydr* (Llandybïe: Llyfrau'r Dryw, 1970), t. 221.

59 J. Gwyn Griffiths, 'Y Gwleidydd a'r Meddyliwr Cymdeithasol', yn Dewi Eirug Davies (gol.), *Pennar Davies: Cyfrol Deyrnged* (Abertawe: Tŷ John Penry, 1981), t. 45. Gweler hefyd bywgraffiad arbennig D. Densil Morgan, *Pennar Davies* (Caerdydd: Gwasg Prifysgol Cymru, 2003).

60 Pennar Davies, *Y Gongl Fach Hon: Am Ddic Siôn Dafydd ac Argyfwng ei Enaid* (Caerdydd: Plaid Cymru, 1949).

61 Gareth Alban Davies, 'Saunders Lewis', *Y Llenor*, XXX (1951), 16.

62 Davies, 'Saunders Lewis', 16.

63 Caryl Glyn Jones, 'Athroniaeth yn y Sorbonne Heddiw', *Efrydiau Athronyddol*, XII (1949), 41.

64 Jones, 'Athroniaeth yn y Sorbonne Heddiw', 41.

65 Jones, 'Athroniaeth yn y Sorbonne Heddiw', 42.

66 Jones, 'Athroniaeth yn y Sorbonne Heddiw', 44.

67 Diolch i'w fab, Siôn Rees Williams, am y wybodaeth. Gweler hefyd ei erthygl, 'Always the Outsider: An Introduction to the Life and Literary Work of John Ellis Williams (1924–2008)', *Language and Literary Studies of Warsaw*, III (2013), 93–109, nofel John Ellis Williams, *Hadau Gwyllt* (Dinbych: Gwasg Gee, 1968) ac erthygl amdano yn *Y Cymro*, 13 Mawrth 1969, 12.

68 Gweler Williams, 'Athroniaeth Nicolas Berdyaev' ac erthygl George M. Ll. Davies, 'Y Gymdeithas Fechan', *Lleufer*, III/4 (gaeaf 1947), 119–21 sydd hefyd yn ymdrin â'i syniadau.

69 Kate Roberts, 'Y Nofel Gyfoes', yn J. E. Caerwyn Williams (gol.), *Llên Doe a Heddiw* (Dinbych: Gwasg Gee, 1964), t. 11. Cyfeirir hefyd at nofelau Carson McCullers, Vladimir Nabokov, Rebecca West a Boris Pasternak yn yr ysgrif werthfawr hon.

70 *Y Traethodydd*, XVIII/2 (Ebrill 1950), 94–5.

71 *Y Traethodydd*, XVIII/2, 95.

72 R. I. Aaron, 'Adolygiad o *Existentialist Thought*', *Efrydiau Athronyddol*, XIX (1956), 48.

73 Aaron, 'Adolygiad o *Existentialist Thought*', 48.

74 Alun Page, 'Uffern yr Ugeinfed Ganrif', *Y Genhinen*, VIII/IV (hydref 1958), 230.

75 Page, 'Uffern yr Ugeinfed Ganrif', 229.

[76] Page, 'Uffern yr Ugeinfed Ganrif', 231.

[77] Page, 'Uffern yr Ugeinfed Ganrif', 233.

[78] Cyril G. Williams, *Clywsoch yr Enw* (Llandysul: Gwasg Gomer, 1966), t. 136.

[79] Cyril G. Williams, *Crefyddau'r Dwyrain* (Caerdydd: Gwasg Prifysgol Cymru, 1967). Mae'r gyfrol hon yn cynnwys adran oleuedig ar Fwdhaeth Zen, un o syniadau mwyaf ffasiynol yr 1950au a'r 1960au ag un sydd â thebygrwydd arwyddocaol i'r athroniaeth ddirfodol.

[80] Gweler yn arbennig Colin Wilson, *The Outsider* (Llundain: Gollancz, 1956), un o lwyddiannau cyhoeddi mwyaf annisgwyl yr 1950au.

[81] Dafydd Elis Thomas, 'Yr Argyfwng', *Y Drysorfa*, CXXXIV/7 (Gorffennaf 1964), 151.

[82] Karl Jaspers, 'Kierkegaard', *Y Traethodydd*, XX/1 (Ionawr 1953), 6–21. T. P. Williams, pennaeth yr Adran Almaeneg yng Ngholeg y Brifysgol Caerdydd, a gyfieithodd y ddarlith a draddodwyd gan Jaspers ym Masel yn 1951 i'r Gymraeg.

[83] John Emyr, *Enaid Clwyfus* (Dinbych: Gwasg Gee, 1976), t. 216.

[84] Page, 'Jean-Paul Sartre', 17.

[85] Page, 'Jean-Paul Sartre', 17.

[86] L. Haydn Lewis, 'Y Dirfodwyr' a John Owen, 'Cyfraniad Dirfodaeth', *Y Traethodydd*, CXXIII/527 (Ebrill 1968), 62–74 ac 81–8.

[87] Owen, 'Cyfraniad Dirfodaeth', 86.

[88] Cyhoeddwyd y sgyrsiau ddeng mlynedd yn ddiweddarach o dan olygyddiaeth Gareth Alban Davies ac W. Gareth Jones, *Y Llenor yn Ewrop* (Caerdydd: Gwasg Prifysgol Cymru, 1976).

[89] Davies a Jones (goln), *Y Llenor yn Ewrop*, t. 55.

[90] Davies a Jones (goln), *Y Llenor yn Ewrop*, t. 77.

[91] Davies a Jones (goln), *Y Llenor yn Ewrop*, t. 75. W. R. Jones, *Dieuog* (Caernarfon: Llyfrfa'r Methodistiaid Calfinaidd, 1966) a Bruce Griffiths, *Y Dieithryn* (Llandysul: Gwasg Gomer, 1972).

[92] Harri Williams, *Y Crist Cyfoes* (Caernarfon: Llyfrfa'r Methodistiaid Calfinaidd, 1967), tt. 113–14.

[93] John Heywood Thomas, 'Paul Tillich', *Y Dysgedydd*, 147/6 (Tachwedd/Rhagfyr 1967), 199. Gweler hefyd ei erthyglau 'Diwinyddiaeth Paul Tillich', *Yr Efrydydd*, 4/2 (Awst 1954), 48–54 a 'Dehongliad Paul Tillich o Grefydd y Beibl', *Diwinyddiaeth*, VIII (Rhagfyr 1957), 40–5.

[94] Papurau J. R. Jones, Llyfrgell Genedlaethol Cymru, ffeil AVI/89.

[95] Cyhoeddwyd y ddarlith fel pamffled, J. R. Jones, *Yr Argyfwng Gwacter Ystyr* (Llandybïe: Llyfrau'r Dryw, 1964) ac yn ei gyfrol olaf, *Ac Onide* (Llandybïe: Llyfrau'r Dryw, 1970).

[96] *Barn*, 28 (Chwefror 1965), 98–9.

[97] Gweler Papurau J. R. Jones, ffeiliau FF/16 i FF/30 yn arbennig ar gyfer y toriadau hyn, gan gynnwys rhai ar chwyldro myfyrwyr 1968; protestiadau yn erbyn rhyfel Fietnam; rhaglen Barry Goldwater yn etholiad arlywyddaethol yr Unol Daliethiau yn 1964; Martin Luther King; de Gaulle a'r 'EEC'; a phryderon ynglŷn ag awtomateiddio.

[98] Dewi Eirug Davies, *Diwinyddiaeth yng Nghymru, 1927–1977* (Llandysul: Gwasg Gomer, 1984), t. 34.

[99] J. R. Jones, 'Gwirionedd ac Ystyr', yn Dewi Z. Phillips (gol.), *Saith Ysgrif ar Grefydd* (Dinbych: Gwasg Gee, 1967), tt. 67–8.

[100] John Gwilym Jones, 'Ac Onide', *Taliesin*, 21 (Rhagfyr 1970), 128.

[101] John Gwilym Jones, *Y Goeden Eirin* (Dinbych: Gwasg Gee, 1946), t. 41.

[102] John Gwilym Jones, 'Ysgrifennu Drama', *Lleufer*, XV/1 (gwanwyn 1959), 16.

[103] Cyhoeddwyd y ddwy ddrama gyda'i gilydd, John Gwilym Jones, *Lle Mynno'r Gwynt a Gŵr Llonydd* (Dinbych: Gwasg Gee, 1958).

[104] John Gwilym Jones, *Hanes Rhyw Gymro* (Lerpwl: Gwasg y Brython, 1964).

[105] Gweler ysgrif R. Geraint Gruffydd, 'Hanes Rhyw Gymro', yn Gwyn Thomas (gol.), *John Gwilym Jones: Cyfrol Deyrnged* (Abertawe: Christoper Davies, 1974), tt. 58–9. Gweler hefyd John Osborne, *Luther* (Llundain: Faber & Faber, 1961) ac Erik H. Erikson, *Young Man Luther: A Study in Psychoanalysis and History* (Efrog Newydd: Norton, 1958).

[106] John Gwilym Jones, 'Drama Heddiw', yn Williams (gol.), *Llên Doe a Heddiw*, t. 35.

[107] Jones, 'Drama Heddiw', tt. 33–4.

[108] Jones, 'Ac Onide', 130.

4 Cyfannu'r Rhwyg

[1] Gweler E. R. Lloyd-Jones, *Yr Athro J. R. Jones* (Caernarfon: Gwasg Pantycelyn, 1997) a Dewi Z. Phillips, *J. R. Jones* (Caerdydd: Gwasg Prifysgol Cymru, 1995) ar gyfer yr ymdriniaethau mwyaf cyflawn â'i waith athronyddol.

[2] Papurau J. R. Jones, Llyfrgell Genedlaethol Cymru, ffeiliau C9–11 a C14 yn arbennig.

[3] J. E. Meredith (gol.), *Credaf: Llyfr o Dystiolaeth Gristionogol* (Aberystwyth: Gwasg Aberystwyth, 1943).

[4] Meredith (gol.), *Credaf*, t. 102.

[5] Meredith (gol.), *Credaf*, t. 103.

[6] Meredith (gol.), *Credaf*, t. 103.

[7] Meredith (gol.), *Credaf*, t. 111.

[8] Nodir ymweliad Fromm â Chymru yn Lawrence J. Freidman, *The Lives of Erich Fromm: Love's Prophet* (Efrog Newydd: Columbia University Press, 2014), t. 249. Ceir dadansoddiad arbennig o syniadau Fromm yng nghyfrol yr heddychwr a gweinidog D. R. Thomas yng nghyfres 'Y Meddwl Modern', *Fromm* (Llandysul: Gwasg Gomer, 1984). Bu Thomas yn ymgyrchydd gwrth-niwclear pwysig ei hun ac yn aelod blaenllaw o Gymdeithas y Cymod am gyfnod maith.

[9] Meredith (gol.), *Credaf*, t. 111.

[10] Meredith (gol.), *Credaf*, t. 104.

[11] Meredith (gol.), *Credaf*, t. 114.

[12] Meredith (gol.), *Credaf*, t. 115.

[13] Meredith (gol.), *Credaf*, t. 115.

[14] J. R. Jones, 'Cristnogaeth a Democratiaeth', *Y Traethodydd*, XCVIII/427 (Ebrill 1943), 49–62. Cyhoeddwyd y ddwy bregeth yn y gyfrol *Anerchiadau Cymdeithasfaol* (Caernarfon: Llyfrfa'r Methodistiaid Calfinaidd, 1943).

[15] Jones, 'Cristnogaeth a Democratiaeth', 51.

[16] Jones, 'Cristnogaeth a Democratiaeth', 50.

[17] Jones, 'Cristnogaeth a Democratiaeth', 53.

[18] Jones, 'Cristnogaeth a Democratiaeth', 53.

[19] Erich Fromm, *The Fear of Freedom* (Llundain: Kegan Paul, 1941). Cyhoeddwyd y gyfrol yn yr Unol Daleithiau yn yr un blwyddyn o dan y teitl ychydig yn wahanol *Escape from Freedom*.

[20] Cyhoeddwyd ffrwyth ymchwil prosiect enfawr Ysgol Franfkurt yn y gyfrol *The Authoritarian Personality* (Efrog Newydd: Harper Brothers) yn 1950. Yn yr un maes ymchwil, gwelwyd cyhoeddi cyfrol arbennig Hannah Arendt, *The Origins of Totalitarianism* (Efrog Newydd: Schocken Books, 1951) y flwyddyn ganlynol.

[21] *Y Traethodydd*, CXVII/429 (Hydref 1943), 186–7. Gwerthusodd Phillips gyfrolau Karl Mannheim, *Diagnosis of our Time* (Llundain: Kegan Paul, 1943) a John Middleton Murry, *Christocracy* (Llundain: Andrew Dakers, 1942) yn yr un adolygiad.

[22] Alwyn D. Rees, 'Pa beth i'w ddarllen?', *Lleufer*, 2/1 (gwanwyn 1946), 30.

[23] Gweler Hazel E. Barnes, *The Literature of Possibility: A Study in Humanistic Existentialism* (Lincoln: University of Nebraska Press, 1959), tt. 304–24 yn arbennig. Barnes oedd y cyntaf i gyfieithu'r cyfan o *L'Être et le Néant*, Sartre i'r Saesneg ac fe gyhoeddwyd ei *Being and Nothingness* (Efrog Newydd: Philosophical Library) yn 1956.

[24] Jones, 'Cristnogaeth a Democratiaeth', 56.

[25] Jones, 'Cristnogaeth a Democratiaeth', 55.

[26] Jones, 'Cristnogaeth a Democratiaeth', 59–60.

[27] Jones, 'Cristnogaeth a Democratiaeth', 61.

[28] Papurau J. R. Jones, ffeil 'Sgwrs ar Freud a Marx', ffeil AVII/105.

[29] Gweler Freidman, *The Lives of Erich Fromm* ar gyfer y dadansoddiad mwyaf cynhwysfawr o'i fywyd a'i syniadau.

[30] Papurau J. R. Jones, ffeil AVII/105, t. 1.

[31] Papurau J. R. Jones, ffeil AVII/105, t. 23.

[32] Papurau J. R. Jones, 'Y Meddwl Gwyddonol a'r Efengyl', Ffeil AIV/75, t. 11.

[33] J. R. Jones, 'Crist a'r Gwareiddiad Newydd', *Y Drysorfa*, CXII/127 (Medi 1942), 274.

[34] J. R. Jones, 'Sefwch gan hynny yn y Rhyddid', yn *Anerchiadau Cymdeithasfaol*, t. 43.

[35] Jones, 'Sefwch gan hynny yn y Rhyddid', t. 44.

[36] Jones, 'Sefwch gan hynny yn y Rhyddid', t. 48.

[37] Jones, 'Sefwch gan hynny yn y Rhyddid', t. 45.

[38] Jones, 'Sefwch gan hynny yn y Rhyddid', t. 48.

[39] Jones, 'Sefwch gan hynny yn y Rhyddid', t. 49.

[40] Papurau J. R. Jones, 'Perthynas y Cristion a'r Wladwriaeth Heddiw', ffeil AVII/93, t. 9.

[41] Papurau J. R. Jones, ffeil AVII/93, t. 10.

[42] Gwynfor Evans (gol.), *Tystiolaeth y Plant* (Dinbych: Gwasg Gee, 1942).

[43] Evans (gol.), *Tystiolaeth y Plant*, tt. 30–1.

[44] Ceir rhestr o'r pamffledi a'u hawduron yn Dewi Eirug Davies, *Diwinyddiaeth yng Nghymru, 1927–1977* (Llandysul: Gwasg Gomer, 1984), t. 305. Ar gyfer ystyriaeth lawn o'r syniadau a drafodwyd yn y gyfres, gweler Llion Wigley, 'Pamffledi Heddychwyr Cymru: Adeiladu'r Gymdeithas Amgen yn y 1940au', *Y Traethodydd*, CLXXIII/724 (Ionawr 2018), 33–47, a CLXXIII/725 (Ebrill 2018), 114–22.

[45] *Y Cymro*, 2 Mawrth 1945, 8.

[46] Papurau J. R. Jones, ffeiliau C9–11 a C14.

[47] Papurau J. R. Jones, ffeil C10. Llyfr nodiadau ar gyfer dosbarth efrydiau allanol ym Machynlleth, 1943/4.

[48] Papurau J. R. Jones, ffeil C14. Llyfr nodiadau ar gyfer dosbarth efrydiau allanol Rhydypennau, 1946/7.

[49] Papurau J. R. Jones, ffeil C14, t. 91.

[50] Papurau J. R. Jones, ffeil C14, t. 97.

[51] Papurau J. R. Jones, ffeil C14, t. 100.

[52] Papurau J. R. Jones, ffeil C14, t. 107.

[53] Papurau J. R. Jones, ffeil C14, t. 124.

[54] Papurau J. R. Jones, ffeil C14, tt. 134–5.
[55] Papurau J. R. Jones, ffeil C14, t. 135.
[56] Papurau J. R. Jones, ffeil C14, t. 141.
[57] Papurau J. R. Jones, ffeil C14, t. 146.
[58] Papurau J. R. Jones, ffeil C14, t. 160.
[59] Papurau J. R. Jones, ffeil C14, t. 164.
[60] Papurau J. R. Jones, ffeil C14, t. 169.
[61] Papurau J. R. Jones, ffeil C14, t. 194.
[62] J. R. Jones, *Prydeindod* (Llandybïe: Llyfrau'r Dryw, 1966), t. 36.
[63] Jones, *Prydeindod*, t. 7.
[64] Jones, *Prydeindod*, t. 36.
[65] Jones, *Prydeindod*, t. 36.
[66] Jones, *Prydeindod*, t. 39.
[67] Islwyn Ffowc Elis, 'Seicoleg Gorthrwm', *Y Wawr*, III/3 (1960), 59–62.
[68] Elis, 'Seicoleg Gorthrwm', 60.
[69] Elis, 'Seicoleg Gorthrwm', 61
[70] Elis, 'Seicoleg Gorthrwm', 62.
[71] Jones, *Prydeindod*, tt. 41–2. Daw'r erthygl gan D. Tecwyn Lloyd a ddyfynir o *Barn*, 5 (Mawrth 1963), 148–9.
[72] Jones, *Prydeindod*, t. 7.
[73] Jones, *Prydeindod*, tt. 32–3.
[74] Jones, *Prydeindod*, t. 34.
[75] Lawrence J. Friedman, *Erik H. Erikson: Identity's Architect* (Efrog Newydd: Scribner, 1999); Erik H. Erikson, *Childhood and Society* (Efrog Newydd: Norton, 1950).
[76] Erik. H. Erikson, *Young Man Luther* (Efrog Newydd: Norton, 1958) a *Gandhi's Truth: On the Origins of Militant Nonviolence* (Efrog Newydd: Norton, 1969).
[77] Richard Glyn Roberts, 'Corlannu'r "Ein" ac amodau hanesyddol ymofyniad J. R. Jones', yn E. Gwynn Matthews (gol.), *Argyfwng, Hunaniaeth a Chred: Ysgrifau ar Athroniaeth J. R. Jones* (Talybont: Y Lolfa, 2017), t. 136.
[78] Richard Stevens, *Erik Erikson: Explorer of Identity and the Life Cycle* (Llundain: Macmillan, 2008), t. 60, o Erikson, *Childhood and Society*, t. 256.
[79] Friedman, *Erik H. Erikson*, t. 158. Dywed Friedman: 'Several linked him with "culturalists" like Margaret Mead and Ruth Benedict, who deemphasized unconscious, sexually rooted drives and the Oedipus complex for more "superficial social influences" on the psyche.'
[80] Papurau J. R. Jones, ffeil FF3 yn arbennig. Dywedodd yn *Yr Argyfwng Gwacter Ystyr*, er enghraifft, 'Credaf fi fod yn rhaid *chwyldroi* ein Cristnogaeth, chwyldroi ein holl syniad am ei harwyddocâd, mewn ffordd

na welaf fi brin neb yng Nghymru wedi dechrau ei ddirnad, ar wahân i'r Parch G. O. Roberts yn *Y Cymro'*, J. R. Jones, *Ac Onide* (Llandybïe: Llyfrau'r Dryw, 1970), t. 11.

81 Jones, *Prydeindod*, t. 43.

82 Gweler Friedman, *Erik H. Erikson*, tt. 160–1.

83 Jones, *Prydeindod*, t. 43.

84 Elinor Lloyd Owen (gol.), *Amddifad Gri: Cyfrol Deyrnged Gwilym O. Roberts* (Talybont: Y Lolfa, 1975), t. 132.

85 *Y Cymro*, 15 Awst 1963, 20.

86 Dyfynnwyd ei glod i'r llyfr yn Owen (gol.), *Amddifad Gri*, t. 27.

87 Yn ôl golygydd *Y Cymro* yr adeg hwnnw, John Roberts Williams, colofn Roberts 'creodd y cynnwrf mwyaf yng ngwasg Cymru ers can mlynedd'. Gweler y cofnod ar gyfer Roberts yn *Y Bywgraffiadur Cymreig*: *http://yba.llgc.org.uk/cy/c8-ROBE-OWE-1909.html* (cyrchwyd 12 Hydref 2018).

88 *Y Cymro*, 4 Tachwedd 1965.

89 *Y Cymro*, 16 Medi 1965.

90 Gweler yn arbennig Alan Watts, *Psychotherapy East and West* (Efrog Newydd: Random House, 1961) a Thomas Merton, *Mystics and Zen Masters* (Efrog Newydd: Noonday Press, 1967). Roedd gan Merton wreiddiau teuluol yng Nghymru ar ochr ei dad a'i fam, a dywedodd y canlynol am ei famgu yn ei gyfrol *Conjectures of a Guilty Bystander* (Efrog Newydd: Image Books, 1966), t. 200: 'My grandmother Gertrude Grierson, was the best of the lot . . . She is one of the people of whom I retain the strongest impression in my childhood. She taught me the Lord's Prayer. She was born in Wales of a Scotch father. But the best that is in us seems to come from her Welsh mother . . . It is the Welsh in me that counts: that is what does the strange things, and writes the books, and drives me into the woods.'

91 *Y Cymro*, 17 Hydref 1964, 3.

92 Gwilym O. Roberts, 'Yr Athro Phillips fel Meddyg Meddwl', *Y Traethodydd*, XX/2 (Ebrill 1952), 85–90.

93 Roberts, 'Yr Athro Phillips fel Meddyg Meddwl', 87.

94 Jones, *Ac Onide*, t. 2.

Llyfryddiaeth Ddethol

Ffynonellau gwreiddiol

Archifau
Papurau J. R. Jones, Llyfrgell Genedlaethol Cymru

Cylchgronau a phapurau newydd
Baner ac Amserau Cymru (Y Faner)
Barn
Y Clwb (Cylchgrawn Y Clwb Llyfrau Cymreig)
Y Cymro
Y Drysorfa
Y Dysgedydd
Y Ddraig Goch
Efrydiau Athronyddol
Efrydiau Catholig
Yr Efrydydd
Yr Eurgrawn Wesleaidd
Y Fflam
Y Genhinen
Y Goleuad
Y Gymraes
Heddiw
Yr Heuwr
Y Llenor
Lleufer
Seren Gomer
Taliesin
Tir Newydd
Y Traethodydd
Y Tyst
Yr Ymofynydd

Llyfrau

ap Talfan, Aneirin ap Talfan a Reese, W. H., *Y Ddau Lais* (Llundain: Gwasg Foyle, 1937).

Bosse-Griffiths, Kate, *Anesmwyth Hoen* (Llandybïe: Llyfrau'r Dryw, 1941).

Bosse-Griffiths, Kate, *Teithiau'r Meddwl* (Talybont: Y Lolfa, 2004).

Davies, Aneirin Talfan, *Yr Alltud: Rhagarweiniad i Weithiau James Joyce* (Llundain: Gwasg Foyle, 1944).

Davies, Aneirin Talfan, *Y Tir Diffaith* (Dinbych: Gwasg Gee, 1946).

Davies, Dewi Eirug, *Pennar Davies: Cyfrol Deyrnged* (Abertawe: Tŷ John Penry, 1981).

Davies, Dewi Eirug, *Diwinyddiaeth yng Nghymru, 1927–1977* (Llandysul: Gwasg Gomer, 1984).

Davies, E. Tegla, *Y Sanhedrin: Adroddiad o'i Drafodaethau* (Llandysul: Y Clwb Llyfrau Cymreig, 1945).

Davies, Gareth Alban Davies a Jones, W. Gareth (goln), *Y Llenor yn Ewrop* (Caerdydd: Gwasg Prifysgol Cymru, 1976).

Davies, Oswald R., *Crefydd a'r Gymdeithas Newydd* (Lerpwl: Gwasg y Brython, 1947).

Evans, Daniel, *Teithi Meddwl Ann Griffiths* (Lerpwl: Gwasg y Brython, 1932).

Evans, David, *Y Wlad: Ei Bywyd, Ei Haddysg a'i Chrefydd* (Lerpwl: Gwasg y Brython, 1933).

Evans, Gwynfor (gol.), Cyfres *Pamffledi Heddychwyr Cymru* (Dinbych: Gwasg Gee, 1941–5).

Foster, Idris (gol.), *Cyfrol Deyrnged Syr Thomas Parry-Williams* (Llandysul: Gwasg Gomer, 1967).

Fromm, Erich, *Beyond the Chains of Illusion: My Encounter with Marx and Freud* (Efrog Newyd: Simon & Schuster, 1962).

Griffith, G. Wynne, *Datblygiad a Datguddiad: Y Ddarlith Davies am 1942* (Lerpwl: Gwasg y Brython, 1946).

Griffith, J. H., *Crefydd yng Nghymru* (Lerpwl: Gwasg y Brython, 1946).

Griffiths, J. Gwyn, *I Ganol y Frwydr* (Llandybïe: Llyfrau'r Dryw, 1970).

Gruffudd, W. T., *Crist a'r Meddwl Modern* (Abertawe: Jones a'i Fab, 1950).

Jenkins, Dafydd, *Y Nofel: Datblygiad y Nofel Gymraeg ar ôl Daniel Owen* (Caerdydd: Llyfrau'r Castell, 1949).

Jones, Glyn Penrhyn, *Maes y Meddyg* (Caernarfon: Llyfrfa'r Methodistiaid Calfinaidd, 1967).

Jones, Gwilym R., *Y Purdan* (Dinbych: Gwasg Gee, 1942).

Jones, J. R., *Prydeindod* (Llandybïe: Llyfrau'r Dryw, 1966).

Jones, J. R., *Ac Onide* (Llandybïe: Llyfrau'r Dryw, 1970).

Jones, Jane Ann, *Y Bryniau Pell* (Dinbych: Gwasg Gee, 1949).

Jones, John Gwilym, *Y Dewis* (Dinbych: Gwasg Gee, 1939).

Jones, John Gwilym, *Y Goeden Eirin* (Dinbych: Gwasg Gee, 1946).

Jones, John Gwilym, *Lle Mynno'r Gwynt a Gŵr Llonydd* (Dinbych: Gwasg Gee, 1958).

Jones, John Gwilym, *Hanes Rhyw Gymro* (Lerpwl: Gwasg y Brython, 1964).

Jones, Simon B. ac Evans, E. Lewis (goln), *Ffordd Tangnefedd* (Llandysul: Gwasg Gomer, 1943).

Jones, T. Trefor, *Iechyd yng Nghymru* (Lerpwl: Gwasg y Brython, 1946).

Jones, T. Trefor, *Gwyddor Serch* (Bala: Gwasg y Bala, 1953).

Laing, R. D., *The Divided Self: An Existential Study in Sanity and Madness* (Llundain: Tavistock Publications, 1960).

Laing, R. D. ac Esterson, Aaron, *Sanity, Madness and the Family* (Llundain: Tavistock Publications, 1964).

Lewis, Hywel D., *Dilyn Crist: Anerchiadau Crefyddol* (Bangor: Jarvis a Foster, 1951).

Lewis, Hywel D., *Gwybod am Dduw: Cip ar Rai Tueddiadau yn Athroniaeth Crefydd* (Caerdydd: Gwasg Prifysgol Cymru, 1952).

Lewis, Saunders, *Crefft y Stori Fer* (Llandysul: Gwasg Gomer, 1949).

Lloyd, D. Tecwyn, *Erthyglau Beirniadol* (Llandysul: Y Clwb Llyfrau Cymreig, 1946).

Llywelyn-Williams, Alun, *Gwanwyn yn y Ddinas* (Dinbych: Gwasg Gee, 1975).

May, Rollo (gol.), *Existential Psychology* (Efrog Newydd: McGraw-Hill, 1961).

Meredith, J. E. (gol.), *Credaf: Llyfr o Dystiolaeth Gristionogol* (Aberystwyth: Gwasg Aberystwyth, 1943).

Morgan, Elena Puw, *Y Wisg Sidan* (Llandysul: Y Clwb Llyfrau Cymreig, 1939).

Morgan, Elena Puw, *Y Graith* (Llandysul: Y Clwb Llyfrau Cymreig, 1943).

Morgan, Elena Puw, *Nansi Lovell* (arg. newydd; Dinas Powys: Honno, 2018). Argraffwyd yn wreiddiol gan Wasg Aberystwyth yn 1933.

Morris-Jones, H. V., *Y Meddwl Gwyddonol a'r Efengyl: Darlith Davies 1964* (Caernarfon: Llyfrfa'r Methodistiaid Calfinaidd, 1975).

Owen, Elinor Lloyd (gol.), *Amddifad Gri: Cyfrol Deyrnged Gwilym O. Roberts* (Talybont: Y Lolfa, 1975).

Parry-Williams, T. H., *Y Bardd yn ei Weithdy: Ysgyrsiau gyda Beirdd* (Lerpwl: Gwasg y Brython, 1948).

Prichard, Caradog, *Cerddi Caradog Prichard: Y Casgliad Cyflawn* (Abertawe: Christopher Davies, 1979).

Rees, Alwyn D., *Adfeilion* (Llandybïe: Llyfrau'r Dryw, 1943).

Roberts, Gwilym O., *The Road to Love: How to Avoid the Neurotic Pattern* (Efrog Newydd: Chanticleer Press, 1950).

Roberts, Gwilym O., *Dryllio'r Holl Gadwynau* (Talybont: Y Lolfa, 1976).

Roberts, Kate, *Stryd y Glep* (Dinbych: Gwasg Gee, 1949).

Roberts, Kate, *Y Byw sy'n Cysgu* (Dinbych: Gwasg Gee, 1956).

Roberts, Kate, *Tywyll Heno* (Dinbych: Gwasg Gee, 1962).

Williams, Cyril G., *Clywsoch yr Enw* (Llandysul: Gwasg Gomer, 1966).

Williams, Cyril G., *Crefyddau'r Dwyrain* (Caerdydd: Gwasg Prifysgol Cymru, 1967).

Williams, D. G., *Llawlyfr ar Feddyleg* (Wrecsam: Hughes a'i Fab, 1924).

Williams, Harri, *Y Crist Cyfoes* (Caernarfon: Llyfrfa'r Methodistiaid Calfinaidd, 1967).

Williams, Harri, *Oni Threngodd Duw?* (Caernarfon: Llyfrfa'r Methodistiaid Calfinaidd, 1975).

Williams, J. E. Caerwyn (gol.), *Llên Doe a Heddiw* (Dinbych: Gwasg Gee, 1964).

Williams, Tom Nefyn, *Yr Ymchwil* (Dinbych: Gwasg Gee, 1949).

Ffynonellau eilaidd

Aho, Kevin, *Existentialism: An Introduction* (Caergrawnt: Polity Press, 2014).

Arendt, Hannah, *The Origins of Totalitarianism* (Efrog Newydd: Schocken Books, 1951).

Baines, Menna, *Yng Ngolau'r Lleuad: Ffaith a Dychymyg yng Ngwaith Caradog Prichard* (Llandysul: Gwasg Gomer, 2005).

Barnes, Hazel E., *The Literature of Possibility: A Study in Humanistic Existentialism* (Lincoln: University of Nebraska Press, 1959).

Bottome, Phyllis, *Alfred Adler: Apostle of Freedom* (Llundain: Faber & Faber, 1939).

Burston, Daniel, *The Crucible of Experience: R. D. Laing and the Crisis of Psychotherapy* (Caergrawnt, MA: Harvard University Press, 2000).

Burston, Daniel, *Erik Erikson and the American Psyche: Ego, Ethics and Evolution* (Efrog Newydd: Aronson, 2007).

Chapman, T. Robin, *Un Bywyd o Blith Nifer: Cofiant Saunders Lewis* (Llandysul: Gwasg Gomer, 2006).

Emyr, John, *Enaid Clwyfus* (Dinbych: Gwasg Gee, 1976).

Friedman, Lawrence J., *Erik H. Erikson: Identity's Architect* (Efrog Newydd: Scribner, 1999).

Friedman, Lawrence J., *Love's Prophet: The Lives of Erich Fromm* (Efrog Newydd: Columbia University Press, 2014).

Gramich, Katie, *Twentieth-century Women's Writing in Wales* (Caerdydd: University of Wales Press, 2007).

Greif, Mark, *The Age of the Crisis of Man: Thought and Fiction in America, 1933–1973* (Princeton: Princeton University Press, 2015).

Herzog, Datmar, *Cold War Freud: Psychoanalysis in an Age of Catastrophes* (Caergrawnt: Cambridge University Press, 2017).

Huws, Bleddyn Owen, *Pris Cydwybod: T. H. Parry-Williams a Chysgod y Rhyfel Mawr* (Talybont: Y Lolfa, 2018).

Jamison, Andrew ac Eyerman, Ron, *Seeds of the Sixties* (Berkeley: University of California Press, 1994).

Jeffries, Stuart, *Grand Hotel Abyss: The Lives of the Frankfurt School* (Llundain: Verso, 2016).

Johnston, Dafydd (gol.), *A Guide to Welsh Literature, c.1900–1996* (Caerdydd: University of Wales Press, 1998).

Jones, Harri Pritchard, *Freud* (Llandysul: Gwasg Gomer, 1984).

Jones, Geraint Wyn, *Fel Drôr i Fwrdd: Astudiaeth o Waith Kate Roberts Hyd 1962* (Caernarfon: Gwasg y Bwthyn, 2011).

Judaken, Jonathan a Bernasconi, Robert (goln), *Situating Existentialism: Key Texts in Context* (Efrog Newydd: Columbia University Press, 2012).

Lloyd-Jones, E. R., *Yr Athro J. R. Jones* (Caernarfon: Gwasg Pantycelyn, 1997).

Matthews, E. Gwynn (gol.), *Argyfwng, Hunaniaeth a Chred: Ysgrifau ar Athroniaeth J. R. Jones* (Talybont: Y Lolfa, 2017).

Miller, Gavin, *R. D. Laing* (Caeredin: Edinburgh University Press, 2004).

Morgan, D. Densil, *Pennar Davies* (Caerdydd: Gwasg Prifysgol Cymru, 2003).

Parri, Harri, *Tom Nefyn: Portread* (Caernarfon: Gwasg Pantycelyn, 1999).

Price, Angharad, *Ffarwel i Freiburg: Crwydriadau Cynnar T. H. Parry-Williams* (Llandysul: Gwasg Gomer, 2013).

Rodman, F. Robert, *Winnicott: Life and Work* (Caergrawnt: Perseus, 2003).

Rose, Jonathan, *The Intellectual Life of the British Working Classes* (New Haven: Yale University Press, 2001).

Rowlands, John, *John Gwilym Jones* (Caernarfon: Gwasg Pantycelyn, 1988).

Scull, Andrew, *Madness in Civilization: A Cultural History of Insanity from the Bible to Freud* (Llundain: Thames and Hudson, 2016).

Stevens, Richard, *Erik Erikson: Explorer of Identity and the Life Cycle* (Llundain: Macmillan, 2008).

Thomas, D. R., *Fromm* (Llandysul: Gwasg Gomer, 1984).

Thomas, Gwyn (gol.), *John Gwilym Jones: Cyfrol Deyrnged* (Abertawe: Christopher Davies, 1974).

Thomson, Mathew, *Psychological Subjects: Identity, Culture and Health in Twentieth-Century Britain* (Rhydychen: Oxford University Press, 2006).

Tomos, Angharad, *Hiraeth am Yfory: David Thomas a Mudiad Llafur Gogledd Cymru* (Llandysul: Gwasg Gomer, 2002).

Webber, Jonathan, *Rethinking Existentialism* (Rhydychen: Oxford University Press, 2018).

Wigley, Llion, 'Plymio i'r Dyfnderoedd: Ymatebion Cynnar i Syniadau Sigmund Freud a'r Feddyleg Newydd yn yr Iaith Gymraeg *c.* 1918–1945', yn Angharad Price (gol.), *Ysgrifau Beirniadol XXXIV* (Dinbych: Gwasg Gee, 2016), tt. 89–112.

Wiliams, Gerwyn, *Tir Newydd: Agweddau ar Lenyddiaeth Gymraeg a'r Ail Ryfel Byd* (Caerdydd: Gwasg Prifysgol Cymru, 2005).

Williams, Rhydwen (gol.), *Kate Roberts: Ei Meddwl a'i Gwaith* (Abertawe: Christopher Davies, 1983).

Zaretsky, Eli, *Secrets of the Soul: A Social and Cultural History of Psychoanalysis* (Efrog Newydd: Three Rivers Press, 2005).

Mynegai